VENISE

EN QUELQUES JOURS

ALISON BING

Venise en quelques jours

1re édition, traduit de l'ouvrage *Venice Encounter (1st edition), January 2009*

Traduction française :

© Lonely Planet 2009,
12 avenue d'Italie, 75627 Paris cedex 13
☎ 01 44 16 05 00
bip@lonelyplanet.fr
www.lonelyplanet.fr

Dépôt légal : Mars 2009
ISBN 978-2-84070-859-9

Responsable éditorial Didier Férat
Coordination éditoriale Bénédicte Alice Martin
Coordination graphique Jean-Noël Doan
Maquette David Guittet
Cartographie Caroline Sahanouk
Couverture Jean-Noël Doan et Pauline Requier
Traduction Anne Caron et Mélanie Marx
Merci à Marjorie Bensaada pour son travail sur le texte et à Venice Vaporetto map © Actv SpA 2008

Imprimé par L.E.G.O. Spa
(Legatoria Editoriale Giovanni Olivotto)
Imprimé en Italie

COMMENT UTILISER CE GUIDE

Codes couleur et cartes

Des symboles de couleur représentant les sites et les établissements figurent dans les chapitres et sont reportés sur les cartes correspondantes afin de les localiser rapidement. Les restaurants, par exemple, sont indiqués par une fourchette verte.

À chaque quartier correspond aussi une couleur spécifique, reprise dans les onglets du chapitre qui lui est consacré.

Les zones en jaune sur les cartes désignent des "secteurs dignes d'intérêt" (sur le plan historique ou architectural, ou encore en raison de la présence de bars et de restaurants, etc.). Nous vous conseillons vivement de les explorer !

Prix

Les différents prix (par exemple 10/5 € ou 10/5/20 €) correspondent aux tarifs adulte/enfant, normal/réduit/enfant.

Vos réactions ? Vos commentaires nous sont très précieux et nous permettent d'améliorer constamment nos guides. Notre équipe lit toutes vos lettres avec la plus grande attention et prend en compte vos remarques pour les prochaines mises à jour.

Pour nous faire part de vos réactions, prendre connaissance de notre catalogue et vous abonner à Comète, notre lettre d'information, consultez notre site web : **www.lonelyplanet.fr**

Nous reprenons parfois des extraits de notre courrier pour les publier dans nos produits, guides ou sites web. Si vous ne souhaitez pas que vos commentaires soient repris ou que votre nom apparaisse, merci de nous le préciser. Pour connaître notre politique en matière de confidentialité, connectez-vous à:
www.lonelyplanet.fr/confidentialite/index.cfm

ALISON BING

Quand elle ne griffonne pas, assise dans les églises, ou n'écume pas les restaurants des différents quartiers de Venise, Alison écrit pour les guides Lonely Planet (*Italie, Milan* et *Toscane et Ombrie*), ainsi que pour des magazines d'architecture, de cuisine et d'art comme *Architectural Record, Cooking Light* et *Flash Art*. Elle vit actuellement entre San Francisco et une ville perchée sur une colline, entre le Latium et la Toscane, avec son compagnon (membre de Slow Food, comme elle), Marco Flavio Marinucci. Malgré une licence d'histoire de l'art et une respectable maîtrise de la Fletcher School of Law and Diplomacy, des universités de Tufts et d'Harvard, ses chroniques culturelles dans les journaux, les magazines et à la radio manquent singulièrement d'hortodoxie.

REMERCIEMENTS

Complimenti e grazie tanto a Susanna Sent, Davide Amadio, Francesco et Matteo Pinto, Rosanna Corró, Cristina della Toffola, Giovanni d'Este et Cristina Bottero de l'office du tourisme de Venise. *Mille grazie e baccione alla mia famiglia a Roma e Stateside*, aux Bing, aux Ferry et aux Marinucci ; *como sempre* à Paula Hardy, guide intrépide, et aux cartographes Mark Griffiths et Amanda Sierp pour leur détermination ; un retentissant *brava !* à la rédactrice Laura Stansfeld ; *ma sopra tutto* à Marco Flavio Marinucci, à qui je dois tout.

Ce livre est dédié aux *voáltri venexiani,* gardiens de l'âme de la ville.

À nos lecteurs Un grand merci aux voyageurs qui nous ont écrit pour nous livrer conseils et anecdotes, en particulier à Christian Aagaard, Catherine Linton, Lorna Smith, Jessica Sturman

Photographies p. 52, p. 76, p. 93, p. 116, p. 129, p. 143 Alison Bing ; p. 12, p. 16 The Bridgeman Art Library ; p. 17 Elisabetta Villa/Getty Images ; p. 18 Alberto Pizzoli/AFP/Getty Images ; p. 20 Patrick Hertzog/AFP/Getty Images ; p. 29 Christophe Simon/AFP/Getty Images. Toutes les autres photos sont de Lonely Planet Images et Krzysztof Dydynski, excepté les suivantes : p. 68 Diana Mayfield ; p. 30 Roberto Soncin Gerometta ; p. 102 John Hay ; p. 154 Karl Blackwell ; p. 126 Richard Cummins ; p. 144 Greg Elms ; p. 138 Jon Davison ; p. 31 Holger Leue ; p. 21, p. 32 (en haut à gauche), p. 34, p. 118, p. 158, p. 161 Brent Winebrenner ; p. 8, p. 14, p. 19, p. 27, p. 57, p. 99, p. 130 Juliet Coombe. **Couverture** Gondolier sur un canal, Gary Yeowell/ Getty Images.

La promenade en gondole (p. 181) : une tradition incontournable… et inoubliable !

SOMMAIRE

Pourquoi nos renseignements touristiques sont-ils les meilleurs du monde ? C'est simple : nos auteurs sont des voyageurs indépendants et consciencieux. Ils ne se contentent pas d'Internet ou du téléphone pour faire leurs recherches, et n'acceptent aucune gratification en échange de leurs éloges. Ils parcourent de grandes distances, se rendent dans les sites touristiques aussi bien que loin des sentiers battus. Ils visitent personnellement des centaines d'hôtels, restaurants, cafés, bars, galeries, palais, musées et plus encore, et s'enorgueillissent de rendre telle qu'elle est la réalité dont ils sont témoins.

BIENVENUE À VENISE !

À l'approche de la basilique Saint-Marc, un bourdonnement se dégage de la foule. Touristes, étudiants en art ou nonnes, tous se laissent bientôt happer par l'atmosphère si particulière de la cité des Doges.

Venise est un théâtre aux multiples décors : I Frari, les Gallerie dell'Accademia, la Scuola Grande di San Rocco ou encore La Fenice… Après avoir fait le tour de ces splendeurs, passez dans les coulisses et découvrez, à l'arrière du décor, un dédale de *sotoportego* (passages). C'est dans les *calli* (rues), en retrait des axes principaux de San Marco, que se joue le véritable spectacle de Venise : artisans s'activant dans leurs studios, cuisiniers préparant de succulents *cicheti* (tapas vénitiennes), musiciens se rendant à leurs répétitions de musique de chambre… Les rues résonnent des bruits étouffés de voisins se faisant la bise ou du trottinement de petits chiens.

Les Vénitiens n'ignorent pas que Venise est en plein naufrage, mais la ville a toujours survécu aux pires catastrophes : la peste, les invasions et les inondations. Son secret ? Sa créativité. Les Vénitiens ont peint des chefs-d'œuvre, imaginé de nouveaux styles architecturaux et musicaux. La montée des eaux est une chose, mais les vagues de touristes constituent un nouveau fléau. Chaque année, des millions de visiteurs débarquent pour "faire" Venise en trois heures. S'ils demandaient tous le chemin pour la place Saint-Marc, chaque Vénitien serait interpellé 333 fois par an !

Mais ce ne sera pas votre cas. Une excellente carte et ce guide en poche, vous poserez les bonnes questions aux Vénitiens : Quel est le meilleur restaurant ? Quel est le meilleur plat ? Quels sont les lauréats de la Mostra (Festival international du film de Venise) ? Et surtout : quoi de neuf à Venise ? Entre concerts de musique baroque, galeries d'art contemporain occupant d'anciens entrepôts et nouveaux hôtels installés dans des bâtiments historiques, vous arrivez au bon moment : le spectacle peut commencer.

En haut à gauche Une autre perspective sur le campanile (p. 44) **En haut à droite** En bois, moi ? À la Fiorella Gallery (p. 48), des mannequins au regard si humain **En bas** Des gondoles, un polo à rayures, pas de doute, c'est Venise !

>LES INCONTOURNABLES

La place Saint-Marc (p. 40) émerge de la brume matinale

>1 BASILIQUE SAINT-MARC

ADMIRER LE MONUMENT EMBLÉMATIQUE DE VENISE DU MATIN AU SOIR

La question n'est pas de savoir si vous devez visiter la célèbre basilique, mais quand. Certains ne jurent que par le matin, quand les millions de tesselles s'illuminent. Les romantiques préfèrent le crépuscule, lorsque les mosaïques du portail s'embrasent sous les rayons du soleil couchant et que la place Saint-Marc résonne des rythmes de tango provenant de l'orchestre du Caffè Florian. La solution ? Allez-y sans attendre et revenez souvent. La basilique dégage à toute heure une magie que les meilleurs effets spéciaux hollywoodiens seraient bien incapables d'imiter.

L'origine de l'édifice remonte à 828, quand des marchands vénitiens s'emparèrent des restes de saint Marc et les emportèrent hors d'Égypte. Venise avait alors tout pour devenir une grande puissance marchande : quantité de ports, un emplacement défendable contre Charlemagne et les Huns, et un saint patron pour veiller sur les transactions… Il manquait juste à la cité le monument qui l'imposerait sur l'échiquier mondial. Il fut ainsi commandé aux meilleurs artisans de Byzance et au-delà un édifice pour abriter les reliques du saint et incarner la puissance de Venise.

La construction de la basilique ne fut pas sans problème. Les émeutes et les incendies, courants au Moyen Âge, détruisirent à deux reprises les

LES 5 INCONTOURNABLES DE SAINT-MARC

- > La coupole de l'Ascension – le dôme central couvert d'or, la ronde d'anges et saint Marc au regard songeur sur le pendentif (qui soutient le dôme) sont éblouissants.
- > La Pala d'Oro – la finesse des miniatures en émail représentant les apôtres vêtus de capes de super héros éclipse les 2 000 pierres précieuses ornant le splendide retable.
- > Le dôme de la Genèse – créées 650 ans avant l'art abstrait et le hip-hop, ces mosaïques médiévales illustrent la séparation de l'eau et du ciel et montrent des anges esquissant des pas de danse.
- > Les *pavimenti* – les motifs des sols en mosaïques polychromes produisent un vertigineux effet optique.
- > La Loggia dei Cavalli – quatre chevaux de bronze se dressent au-dessus du portail principal de la basilique et dominent la place Saint-Marc.

mosaïques extérieures et fragilisèrent la structure porteuse. Les plafonds s'affaissant et les modes évoluant, Jacopo Sansovino et d'autres architectes ajoutèrent contreforts, arches gothiques et marbres polychromes pillés ou achetés. Parfois, les voies du Seigneur furent obscurcies par la poussière des travaux : les os de saint Marc furent égarés deux fois.

Avant la fin du XVIIIe siècle, Venise était devenue une brillante capitale cosmopolite. Aujourd'hui, en dépit des marées hautes qui inondent régulièrement la place, la basilique demeure une merveille architecturale.

Voir aussi p. 41.

>2 GALLERIE DELL'ACCADEMIA

ANALYSER DES ŒUVRES QUI ONT SUSCITÉ DURANT DES SIÈCLES SCANDALE ET ADMIRATION

Battant le pavé dans la queue pour entrer aux Gallerie dell'Accademia, vous vous demanderez sans doute si l'attente en vaut la peine. Patience : bientôt, les groupes d'étudiants se disperseront et laisseront place au fier *Saint Georges* d'Andrea Mantegna (1466) et à l'*Autoportrait* de Rosalba Carriera (1730), d'un réalisme sans concession.

Malgré son nom, l'Accademia n'est pas un temple de l'académisme. Au contraire, c'est le théâtre d'histoires rocambolesques aux personnages inoubliables, de sombres complots et de scandales croustillants dignes des dîners vénitiens les plus décadents. La ravissante *Vierge* de Giovanni

5 PORTRAITS SAISISSANTS DE VÉRITÉ

- > *La Vieille*, de Giorgione
- > *Portrait d'un jeune homme*, de Hans Memling
- > *La Bénédiction de Lorenzo Giustinian*, de Gentile Bellini
- > *La Devineresse*, de Giovanni Battista Piazzetta
- > *Portrait d'un jeune homme triste*, de Lorenzo Lotto

Bellini est auréolée de chérubins écarlates. Une élégante couverte de bijoux vole la vedette à la Madone dans la *Présentation de la Vierge au temple* de Titien. L'illustration par le Tintoret de la création des animaux, inspirée de l'Ancien Testament, est très vénitienne avec ses lions (symbole de saint Marc) et ses poissons mutants que les marchands de la Pescheria vendraient sans aucun doute au rabais ! *Le Miracle du serpent de bronze*, de Giambattista Tiepolo, fut roulé en hâte par des spectateurs épouvantés ; et en a conservé une cicatrice. Les amateurs d'horreur ne manqueront pas la *Crucifixion et apothéose des dix mille martyrs du mont Ararat* de Vittore Carpaccio. Le célèbre Harry's Bar a été inspiré de donner le nom du peintre à un nom main célèbre plat de bœuf cru…

Mais l'artiste le plus controversé fut sans conteste Véronèse, avec son *Repas chez Lévi* (détail ci-dessus), intitulé à l'origine *La Cène*, avant que l'Inquisition condamne Véronèse pour avoir peint les apôtres entourés d'une bande d'ivrognes, de nains, de chiens et même d'Allemands de la Réforme. Véronèse, soutenu par les Vénitiens, refusa formellement de modifier l'œuvre et ne céda que sur le titre. Admirez les échanges, les gestes et les regards qui se croisent entre les personnages – vous conviendrez que chacun, du marchand maure au serveur maladroit, des joueurs aux chiens, occupe une place indispensable dans cette composition bigarrée, à l'image de Venise elle-même.

Voir aussi p. 113.

>3 MARCHÉS EN PLEIN AIR

TROUVER TOUS LES INGRÉDIENTS DES PLATS TRADITIONNELS VÉNITIENS SUR LES ÉTALS

Les chefs vénitiens ont un secret : utiliser exclusivement des produits frais, saisonniers et locaux. La Pescheria (marché aux poissons, p. 94) ravira les gourmets et les curieux, qui s'amuseront à repérer le *moscardino* (petit poulpe) ou, dans l'incroyable choix de crabes, les minuscules *moeche* (crabes à carapace molle) et les *granseole* (araignées), et saliveront devant les *seppie* (encornets) de toutes les tailles.

Les produits cultivés en Vénétie et vendus sur les étals des marchés du Rialto (p. 94) et près des canaux (p. 95) n'ont bien évidemment rien à voir avec les fruits et légumes calibrés des supermarchés. Les petits *castraure* (jeunes artichauts) de couleur pourpre, les asperges blanches de Bassano et le *radicchio di Treviso* présentent des formes et des teintes surprenantes. Même les légumes et les fruits les plus familiers sont méconnaissables… et tellement savoureux ! Des tomates aux piments rouges en passant par les petites fraises juteuses, à Venise, tout est meilleur !

>4 LE TINTORET

REPÉRER LES ÉCLAIRS DANS LES CIELS ORAGEUX DU MAÎTRE DU MANIÉRISME

Les coups de pinceau du Tintoret illuminent de l'intérieur les scènes les plus classiques plus sûrement qu'un éclair. Si ses sujets lui étaient imposés par ses commanditaires (scènes bibliques, allégories mythiques, apologie de la grandeur de Venise…), le peintre les personnalisait par un éclairage particulier, des fonds orageux et des perspectives vertigineuses.

La découverte de l'œuvre du Tintoret commence dans son atelier (Bottega del Tintoretto, p. 81). Elle se poursuit dans son église paroissiale, la Chiesa della Madonna dell'Orto (p. 74), dont l'édifice en brique offre un cadre serein à son *Jugement dernier* (1546). En authentique Vénitien, le Tintoret représente la scène comme une marée turquoise que les âmes en peine cherchent vainement à retenir, figurant une sorte de version humaine et prémonitoire du projet MOSE (voir p. 170). L'image singulière de cet ange plongeant pour arracher une ultime victime a été reprise par le Tintoret à l'étage de la Scuola Grande di San Rocco (photo ci-dessus, p. 86), où il passa 23 années à célébrer le saint patron des pestiférés. Ses scènes bibliques ressemblent ici à une bande dessinée dont le fond s'assombrit pour illustrer le cataclysme des derniers jours du Christ et la peste noire, et où l'obscurité est déchirée par des éclairs aveuglants symbolisant l'espoir.

>5 TITIEN

SUIVRE LA PISTE DU MAÎTRE DE LA PEINTURE VÉNITIENNE D'UN CHEF-D'ŒUVRE À L'AUTRE

Pour admirer l'art de Titien à Venise, inutile de chercher bien longtemps. La moindre petite ruelle dissimule un chef-d'œuvre du maître incontesté de la peinture vénitienne. Son œuvre d'une grande intensité dramatique connut beaucoup de succès de son vivant et influença des générations de peintres. Le retable de *Saint Marc entouré de saint Côme, saint Damien, saint Roch et saint Sébastien* (1510), dans l'église Santa Maria della Salute (p. 112), montre un Titien mesuré et méthodique, dont la souplesse du pinceau et le rouge vermillon insufflent à cette scène classique un dynamisme indéniable. La vision des corps contorsionnés du *Jugement dernier* de Michel-Ange va bouleverser Titien, qui laisse alors s'exprimer toute la violence de son génie. Cela est très perceptible dans la *Pietà* (1576), œuvre pour laquelle il appliqua la peinture à mains nues.

L'Assomption de la Vierge, dans l'église I Frari (reproduction ci-dessus, p. 84) se distingue comme le chef-d'œuvre absolu de Titien. L'artiste représente la Vierge s'élevant au-dessus des mortels, soutenue par des anges. Sa robe rouge illumine le retable et rayonne dans toute la nef. Son poignet pâle, dénudé par un glissement de la manche, troublait apparemment les prêtres au point de les distraire de leurs prières…

>6 LA BIENNALE

DEVANCER LES NOUVEAUX COURANTS ARTISTIQUES AU GRAND RENDEZ-VOUS DE L'ART CONTEMPORAIN

La Biennale d'art contemporain de Venise fut créé en 1895 en réaction à la brutalité de la révolution industrielle et pour réaffirmer l'autorité du bon goût vénitien et son influence mondiale. À l'origine, la Biennale était donc une institution conservatrice. Un imposant pavillon offrait une présentation apparemment inoffensive des dernières tendances artistiques italiennes : de jeunes beautés, quelques fleurs et de jeunes beautés entourées de fleurs. La Fondation de la Biennale autorisa d'autres nations à ouvrir des pavillons en 1907, tout en conservant un droit de regard sur les œuvres. C'est ainsi que Picasso fut retiré du pavillon espagnol en 1910 pour épargner un choc au public.

Après l'atrocité des deux guerres mondiales, ces scrupules disparurent. La Biennale organisée au lendemain de la Première Guerre mondiale présenta les œuvres d'Amedeo Modigliani : ses femmes aux yeux vides firent beaucoup parler d'elles. Venise n'adopta pas immédiatement le modernisme, mais se découvrit un intérêt pour la controverse artistique, alimentée par l'avant-garde artistique et architecturale présentée dans les nouveaux pavillons coréen, japonais et canadien. Si le nouveau slogan de la Biennale *Pensa con i Sensi/Senti con la Mente* (Pensez avec les sens/Sentez avec l'esprit) a fait ricaner plus d'un Vénitien, les expositions automnales d'avant-garde architecturale (les années paires) et artistique (les années impaires) sont toujours attendues avec impatience.

Voir aussi p. 29 et p. 59.

>7 LA MOSTRA

RECONNAÎTRE LES STARS AU FESTIVAL DU FILM DE VENISE

Lorsque l'organisation de la Biennale de Venise annonça la création d'un festival de cinéma en 1932, le scandale fut retentissant. Le monde entier, de Cannes à New York, railla cette dangereuse concession au genre populaire. La cérémonie des Oscars se déroulait alors devant 900 personnes dans la Fiesta Room de l'Ambassador Hotel à Hollywood : stars et cinéphiles n'allaient certainement pas submerger le Lido ! Lorsque Greta Garbo, Joan Crawford et Clark Gable firent leur apparition sur le tapis rouge et que 25 000 personnes se massèrent pour assister aux projections, le festival de Venise et ses Lions d'or avait tenu son pari de concilier art et glamour.

Ambitieuse dès son origine, la Mostra s'est forgé la réputation de récompenser les films les plus créatifs dédaignés des Oscars. Elle a ainsi distingué John Cassavetes (*Gloria*), Robert Altman (*Short Cuts*), Spike Jonze (*Dans la peau de John Malkovich*) et Ang Lee (*Le Secret de Brokeback Mountain*), ainsi que des monstres du cinéma comme Woody Allen, Takeshi Kitano, Martin Scorsese ou encore Zhang Yimou.

Voir aussi p. 29 et p. 135.

>8 LE GHETTO

EXPLORER L'ANCIEN QUARTIER JUIF, LA "CITY" DE VENISE À LA RENAISSANCE

En observant la place centrale du Ghetto (p. 71), avec son sol irrégulier et ses façades délabrées, il est difficile de croire que ce fut jadis le centre financier d'un empire. Selon un décret de 1516 de la république de Venise, les prêteurs juifs finançaient le commerce vénitien le jour et étaient consignés dans le Ghetto la nuit et durant les fêtes chrétiennes.

Lorsque les marchands juifs fuyant l'Inquisition espagnole affluèrent à Venise en 1541, il fallut construire, faute d'espace. Des étages furent ajoutés aux immeubles existants du Ghetto, où l'on logea les nouveaux arrivants et l'on aménagea des synagogues. De l'autre côté de la ville, grâce aux prêteurs et aux artisans juifs, la Renaissance était en marche et remplissait les palais et les églises de trésors inestimables. De restrictions papales en épidémie de peste, le Ghetto ne comptait plus que 3 000 habitants en 1670.

Reconnus par Napoléon comme citoyens de plein droit en 1797, les juifs furent ramenés au XVIe siècle par les lois raciales imposées par Mussolini en 1938. En 1943, la majorité des 1 670 juifs vénitiens furent raflés et envoyés en camps de concentration. Seuls 37 en revinrent. La communauté juive de Venise ne compte plus que 420 personnes, mais les enfants qui jouent sur la place montrent que la vie continue dans le Ghetto. Pour visiter les sept minuscules synagogues (photo ci-dessus), suivez la visite du Museo Ebraico di Venezia (p. 75).

>9 UNE NUIT À L'OPÉRA

S'ENIVRER DES VOIX DES DIVAS À LA FENICE

Quel que soit le spectacle, La Fenice promet du grand théâtre. Avant même que les portes s'ouvrent, les artistes ébouriffés et les mondains coiffés de chapeaux se pressent dans les cafés de la place pour avaler un verre de *prosecco* suivi d'un expresso. Après avoir rejoint leurs places, les spectateurs des premières loges ôtent leurs manteaux, révélant bijoux et perles en verre de Murano. Plus haut, aux balcons (*loggie*), moins coûteux, les *loggione* (critiques d'opéra) échangent des prédictions : quel chanteur est en voix, quelles doublures seront promues. Entre les amateurs d'architecture, les débats font rage : la rénovation réalisée après l'incendie de 1998, d'un montant de 90 millions d'euros, est-elle fidèle ? Le style baroque en "pièce montée inversée" aurait-il dû être modernisé par l'architecte Gae Aulenti, comme cela était prévu à l'origine ? Dès les premières notes, le silence se fait et l'excitation devient palpable. Personne ne veut perdre une note d'un spectacle qui entrera peut-être dans les annales, à l'instar des premières de Stravinsky, Rossini, Prokofiev, Britten et, bien entendu, Giuseppe Verdi.

>10 EN COULISSES

FUIR LES SENTIERS BATTUS ET EXPLORER DES COURS ET DES PALAIS IGNORÉS DES TOURISTES

Comment ne pas plaindre les groupes lâchés dans San Marco avec deux heures pour "faire" Venise, alors que cela suffit à peine à contempler la place Saint-Marc, sans parler du reste de la cité, dont ils ne verront que les portails gothiques ? Même en quittant les itinéraires balisés, des panneaux jaunes vous indiquent la direction de San Marco depuis le Rialto, les Gallerie dell'Accademia et la gare ferroviaire. L'aventure vous attend dans le réseau de rues (*calli*), passages (*sotoportegi*) et canaux, à condition de respecter une consigne : *ignorez les pancartes*.

Avec un soupçon d'intrépidité et une bonne carte, vous découvrirez l'envers du décor et saurez ce que cachent les façades qui bordent le Grand Canal. Vous dénicherez d'authentiques restaurants dans les cours (*cortili*) secrètes, passerez la nuit dans un palais et vous réveillerez aux cris des gondoliers manœuvrant leurs embarcations. Accoudé à un bar (*bacaro*), vous verrez les visiteurs d'un jour se presser pour attraper un train, un avion ou un bus. Ayez donc une pensée pour eux en savourant votre café.

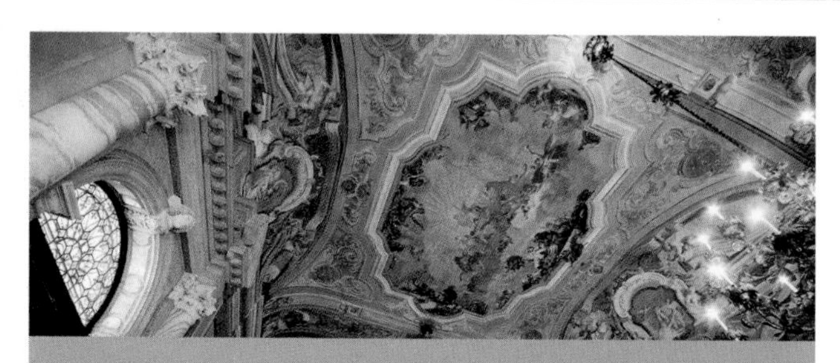

>11 CA' REZZONICO

SE PLONGER DANS LA VENISE DU XVIIIe SIÈCLE

On dit souvent que la gloire de Venise prit fin au XVIe siècle, alors que la cité était encore "jeune". Cette théorie est totalement démentie par la Ca' Rezzonico, le musée du XVIIIe siècle vénitien. Les collections rassemblées dans ce palais offrent en effet l'occasion de découvrir le mode de vie de la noblesse vénitienne à la fin de la république.

Sous des abords somptueux, la Ca' Rezzonico ne manque pas de malice. Vaste et lumineux sans céder au kitsch, ce palais fut conçu par Baldassare Longhena. Giambattista Tiepolo couvrit les plafonds de représentations flatteuses de Ludovico Rezzonico, le montrant avec sa fiancée entouré de la Gloire, la Sagesse et le Mérite. Les trompe-l'œil ornant les dômes sont si habiles, si pittoresques et si théâtraux que l'on ne peut s'empêcher de déceler chez Tiepolo une certaine espièglerie.

Au XVIIIe siècle, ayant survécu à la peste, résisté aux envahisseurs turcs et vu leurs ambitions de domination mondiale écrasées, les Vénitiens étaient résolus à défier le mauvais sort. L'art de cette époque illustre cette attitude de manière tragicomique. Des satires de Pietro Longhi décorent un salon entier de la Ca' Rezzonico. Dans *Le Chocolat du matin* (1775) par exemple, d'élégants Vénitiens se goinfrent de chocolat (boisson en vogue) et de beignets, au risque de faire éclater leurs boutons de gilets ou d'encourir les foudres du petit chien désapprobateur. Dans ses portraits au pastel, Rosalba Carriera restitue toute la malice de ses modèles, dont les petits sourires malins trahissent un goût certain pour la fête.

Voir aussi p. 109.

>12 MUSIQUE BAROQUE

REDÉCOUVRIR UN GENRE AUTREFOIS CONTESTATAIRE

Lassé de la pop remâchée et du jazz trop classique ? Venise vous réserve une alternative : la musique baroque. À son époque, le baroque vénitien défiait ouvertement les édits de Rome qui décidaient des instruments autorisés à accompagner les sermons et des rythmes et mélodies dignes d'élever les esprits. Les Vénitiens continuèrent à jouer des instruments à cordes dans les églises, à reprendre les chansons paillardes de l'*opera buffa* (opéra-comique) et à composer des morceaux évoquant tout le champ des émotions. Aujourd'hui, le baroque est souvent rabaissé au rang de musique d'ambiance pour cérémonie de mariage, mais des ensembles de baroque ancien, comme le Venice Baroque Opera, respecté dans le monde entier, interprètent sur des instruments originaux du XVIIIe siècle des morceaux de cette époque et prouvent que le genre n'a rien perdu de sa modernité.

Le plus célèbre compositeur vénitien, Vivaldi, est surtout connu pour ses *Quatre saisons*, évocatrices des ascenseurs d'hôtel et des sonneries de téléphones portables. Les Interpreti Veneziani (p. 97) vous convaincront cependant de la splendeur de cette œuvre magistrale, entre orages d'été et pluies de printemps. Tomaso Albinoni est un autre grand compositeur de l'époque baroque, souvent au programme des concerts vénitiens.

Choisissez soigneusement la salle : les concerts baroques donnés dans l'intimité de la Casa di Goldoni (p. 84), à la Ca' Rezzonico (p. 109) ou encore à l'Ospedaletto (photo ci-dessus, p. 63) vous transporteront instantanément au XVIIIe siècle.

>13 BURANO ET TORCELLO

EXPLORER LES ÎLES DE LA LAGUNE

Venise vous semble défier le bon sens (pourquoi avoir choisi une lagune limoneuse pour bâtir une ville) ? Attendez d'avoir vu les îles de Burano (p. 140) et de Torcello (p. 144).

Les petites rues de Burano sont un paradis pour les photographes, qui mitraillent les jardinières turquoise remplies de géraniums rouges et les bas verts séchant entre les maisons roses et orange. Une loi oblige-t-elle les habitants à peindre leurs maisons de couleurs vives et à porter des sous-vêtements dans des teintes complémentaires ? Burano est sans conteste le village de pêcheurs le plus esthétique du Bassin méditerranéen.

Outre une vingtaine d'habitants, l'île bucolique de Torcello est principalement occupée par des moutons et il est bien difficile de croire qu'une métropole byzantine de 20 000 personnes s'étendait autrefois sur l'île. Les superbes mosaïques de la cathédrale Santa Maria Asunta sont pourtant là pour en témoigner. Celle du *Jugement dernier* montre Jésus détruisant les portes de l'Enfer. Une nymphe marine, allégorie de l'Adriatique, mène les âmes perdues en mer vers Pierre, qui, muni des clefs du paradis, a des airs de videur de boîte de nuit ! Outre les mosaïques byzantines, souvent comparées à celle de la basilique Saint-Marc, Torcello vaut aussi le détour pour son atmosphère sauvage, bien loin des rues et des monuments de Venise.

>14 PALAIS DES DOGES

ENTREVOIR LE CÔTÉ OBSCUR DE LA VIE À VENISE

De l'extérieur, les superbes façades de style gothique flamboyant du palais des Doges ne sont qu'élégants murs de brique et gracieuses colonnes. Mais l'intérieur du palais révèle les sombres secrets de ceux qui dirigeaient autrefois la cité. Derrière le luxueux salon orné de chérubins et d'allégories de la Vertu vainquant le Vice, peints par Véronèse, se cachait le siège secret du mystérieux Conseil des Dix (Consiglio dei Dieci), version vénitienne de la CIA. Les Piombi, geôles redoutées, occupaient le grenier. Accusé d'avoir corrompu des nonnes et propagé la franc-maçonnerie, Casanova y fut emprisonné durant cinq ans. Il parvint à s'en échapper en 1757.

Le fascinant circuit Itinerari Segreti (Itinéraires secrets) vous permettra de suivre les pas de Casanova et de visiter des parties moins connues du palais. Le guide vous conduira ainsi des bureaux administratifs du Conseil des Dix à une pièce sans fenêtre dotée d'une corde : la chambre de torture du doge. Elle tomba en désuétude au XVIIe siècle, au contraire des cellules où les accusés attendaient leur jugement. La Venise de la Renaissance se méfiait en effet des rebelles : ceux qui contestaient le gouvernement (représenté sous son meilleur jour à l'étage du dessous) pouvaient finir dans les combles. Le circuit dure 1 heure 30 et les billets s'achètent à la billetterie du palais.

Voir aussi p. 45.

>15 PALAZZO GRASSI

DEVINER LE FUTUR DANS UN PALAIS VÉNITIEN

Paris ne s'est pas encore remis de la décision du milliardaire François Pinault d'installer sa collection d'art dans un palais vénitien. En 2006, l'homme d'affaires a acheté le Palazzo Grassi (p. 47) au groupe Fiat et a chargé l'architecte japonais Tadao Ando, adepte du minimalisme, de préparer le palais à accueillir sa collection d'art contemporain ainsi que d'ambitieuses expositions sur l'histoire de l'art, comme le récent "Rome et les Barbares". Le résultat est époustouflant. Surmontant les cloisons, des spots créent des halos de lumière qui mettent parfaitement en valeur l'harmonie entre éléments historiques et art contemporain.

L'intérêt de l'édifice ne se limite toutefois pas aux spectaculaires salles et à l'ingénieuse muséographie. Le palais donnant sur le Grand Canal, des sculptures ont été installées sur son embarcadère. Les passagers des gondoles ont ainsi pu voir *Balloon Dog* de Jeff Koons et *Very Hungry God* de Subodh Gupta, immense crâne entièrement fait d'ustensiles en aluminium. Au 1er étage, vous pourrez savourer un café en admirant la décoration des lieux, confiée à un artiste différent à chaque exposition.

En attendant l'ouverture du prochain projet de François Pinault et de Tadao Ando, la Punta della Dogana (p. 114), le Palazzo Grassi est le musée le plus branché du moment.

>AGENDA

"Interdiction de jeter des détritus dans les canaux, de dégrader les bâtiments anciens et de se promener torse nu", peut-on lire en substance sur les affiches placardées aux arrêts de *vaporetto*. Il est vrai qu'à Venise les occasions de…, disons de s'exprimer sans retenue ne se limitent pas à la période du Carnaval et que biennales, marathons et épousailles de la mer satisferont les goûts les plus divers. Une mise en garde cependant : cette ville semble prendre un malin plaisir à tout faire pour que vous vous retrouviez à l'eau. Traverser des ponts flottants, ramer debout sur un bateau ou longer un canal après une soirée bien arrosée n'est pas sans risque… On vous aura prévenu !

Portrait de femme à l'occasion du Carnaval (p. 28)

FÉVRIER

Carnaval

www.carnevale.venezia.it

Ni Napoléon ni Mussolini n'ont réussi à supprimer la plus grande manifestation de l'année. Les Vénitiens en costume de commedia dell'arte font la fête dans la rue – et tombent à l'occasion dans les canaux. Au bout de dix jours, il arrive que l'on se sente barbouillé ou que l'on ne supporte plus le contact de la perruque. Imaginez ce que c'était au XVIIIe siècle, lorsque les festivités duraient trois mois…

5 IDÉES POUR CARNAVAL

> Tacler un adversaire en hauts-de-chausses lors du Calcio Storico, un match de foot en costume médiéval organisé sur la place Saint-Marc.
> Déguster des *fritelle* (beignets au rhum et aux raisins) encore tièdes.
> Danser toute la nuit lors du grand bal masqué à La Fenice (le prix des billets démarre à 200 €, location de costume et cours de danse non compris).
> Installer son pliant au bord de l'eau pour la parade sur le Grand Canal.
> Créer son costume ou s'essayer au théâtre masqué dans l'un des ateliers du Teatro Junghans (p. 131).

AVRIL

Festa di San Marco

www.comune.venezia.it

Le jour de la Saint-Marc, patron de la ville, les hommes forment des processions sur la célèbre place et offrent un *bocolo* (bouton de rose) aux femmes de leur vie.

Le Carnaval, de quoi effrayer les enfants !

MAI

Vogalonga

www.turismovenezia.it

Un millier d'embarcations à rame prennent le départ devant le palais des Doges pour une boucle passant par Burano et Murano. Les 32 km de course ayant raison des moins endurants, on n'en retrouve pas autant au passage de la ligne d'arrivée, à la Punta della Dogana.

Festa della Sensa

www.sevenonline.it/sensa

Venise aime sa lagune et renouvelle tous les ans depuis 998 son engagement de mariage. Lors du Sposalizio del Mar (Épousailles de la mer), le maire de la ville lance un anneau en or dans les flots.

JUIN

Venezia Suona

www.veneziasuona.it

Places (*campi*) et palais (*palazzi*) du Moyen Âge résonnent des musiques du monde les plus récentes.

La Biennale

www.labiennale.org

La Biennale d'art contemporain se tient les années impaires, généralement de juin à novembre, et la Biennale d'architecture les années paires, à partir de septembre. Danse, théâtre, cinéma et musique d'avant-garde sont programmés tout l'été. Voir p. 17.

JUILLET

Festa del Rendentore

www.turismovenezia.it

Le troisième week-end du mois, on traverse le Canal della Giudecca sur un pont de bateaux (instable) pour rejoindre Il Redentore (p. 128). Pique-nique géant le long de la Fondamenta delle Zattere et grand feu d'artifice.

AOÛT

La Mostra

www.labiennale.org/en/cinema

Le Festival du film de Venise a lieu au Lido du dernier week-end d'août à la première semaine de septembre. Tapis rouge, stars et plages à l'arrière-plan.

La Mostra : le rendez-vous des stars

SEPTEMBRE

Venice Video Art Fair

www.venicevideoartfair.org

Dans le cadre anachronique de l'île San Servolo, accessible en *vaporetto* depuis les pavillons de la Biennale d'art, ce salon accueille 25 stands présentant des œuvres vidéo, souvent empreintes de poésie et d'étrangeté.

Regata Storica

www.comune.venezia.it

Le jour de cette "régate historique", des participants en costume du XVIe siècle rejouent, lors d'une procession de gondoles

Les rameurs font l'histoire durant la Regata Storica

et de bateaux anciens, l'arrivée de la reine de Chypre. Femmes, enfants et gondoliers s'affrontent ensuite dans différentes courses.

Regata di Burano

www.comune.venezia.it

C'est la dernière régate de la saison. Les vainqueurs peuvent célébrer une victoire définitive, et les perdants se consoler avec le poisson, la polenta et le vin blanc qui coule à flots.

OCTOBRE

Marathon de Venise

www.venicemarathon.com

Les 6 000 coureurs effectuent 42 km dans un décor de rêve, passant devant les villas palladiennes bordant la Brenta, avant de traverser un pont flottant long de 160 m pour pénétrer dans Venise et rejoindre la place Saint-Marc.

NOVEMBRE

Festa della Madonna della Salute

www.turismovenezia.it

Si vous aviez survécu à la peste et à l'invasion autrichienne, vous aussi auriez envie de faire la fête. Le 21 novembre, les Vénitiens traversent le Grand Canal par un pont flottant pour rejoindre la Chiesa di Santa Maria della Salute (p. 112), remercier la Vierge et se régaler de beignets et de friandises.

>ITINÉRAIRES

Sur les places de Venise, tous les chiens ont droit à leur jour de gloire

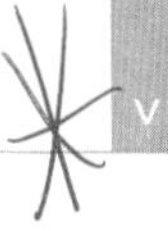

ITINÉRAIRES

Des ors byzantins aux rouges de la Renaissance, de Vivaldi à la création vidéo, la promenade dans Venise est une déambulation à travers les siècles. Imprégné des splendeurs du passé, on est projeté dans l'avenir au gré des spectacles, des expositions d'art contemporain et du nouvel artisanat.

PREMIER JOUR

Commencez la journée en prison avec le circuit des Itinerari Segreti dans le palais des Doges (p. 45), puis faites une pause sur la place Saint-Marc. Après le déjeuner à la Cava Tappi (p. 53), vous êtes d'attaque pour les Gallerie dell'Accademia (p. 113). Profitez de l'animation du Campo Santa Margherita à l'heure de l'apéritif, déjeunez à l'Osteria alla Bifora (p. 123) et rejoignez la Scuola Grande di San Rocco (p. 86) pour entendre, au milieu de chefs-d'œuvre du Tintoret, un concert des Interpreti Veneziani (p. 97). Terminez la journée en glissant majestueusement à bord d'une gondole ou d'un *vaporetto* sur les eaux miroitantes du Grand Canal.

DEUXIÈME JOUR

Après l'émerveillement de la basilique Saint-Marc (p. 41), laissez-vous impressionner par les œuvres modernes et contemporaines du Palazzo Grassi (p. 47), puis par les Tintoret et les Canova de Santo Stefano (p. 48). Traversez le Rialto et goûtez aux derniers *cicheti* imaginés par Francesco et Matteo à l'All'Arco (p. 91), avant de sacrifier au plaisir d'une glace à la Gelateria San Stae (p. 105). Faites une apparition en costume d'époque au musée du Textile, au Palazzo Mocenigo (p. 102), puis enfoncez-vous dans l'ancien quartier chaud de la ville, près du Ponte delle Tette (p. 85), afin de rejoindre I Frari (p. 84) et le chef-d'œuvre de Titien. Achevez votre dîner à l'Enoteca ai Artisti (p. 119) par un expresso, car la soirée se poursuit à La Fenice (p. 57).

TROISIÈME JOUR

Depuis le *vaporetto*, laissez-vous éblouir par la belle et blanche Chiesa di San Giorgio Maggiore (p. 126). Ne manquez pas les Tintoret à l'intérieur de l'édifice d'Andrea Palladio, puis revenez sur vos pas et découvrez l'expo

En haut à gauche Gym quotidienne en explorant ponts et passages cachés **En haut à droite** Que de soupirs poussés sur ce pont (pont des Soupirs, p. 45) **En bas** À Venise et au fil de l'eau : une vue typique, un moyen de transport typique…

du moment (art contemporain) à la Fondazione Giorgio Cini (p. 127). Reprenez le bateau, déjeunez chez I Figli delle Stelle (p. 130), puis rejoignez à pied, en vous arrêtant dans les galeries qui vous tentent, Il Redentore (p. 128) et la boutique Fortuny Tessuti Artistici (p. 128). Rendez-vous en *vaporetto* aux Zattere pour déguster une glace chez Da Nico (p. 119) et admirer les fresques de Véronèse à San Sebastiano (p. 109). Présentez vos respects à Peggy Guggenheim (p. 113) et revenez en *vaporetto* à San Marco pour dîner chez Aciugheta (p. 66), écouter du jazz dans une ancienne cellule de prison au Jazz in Venice (p. 69) et finir par un dernier verre à l'Aurora Caffè (p. 56).

JOUR DE PLUIE

Épargnez-vous les longues files d'attente devant les Gallerie dell'Accademia et la basilique Saint-Marc et allez admirer l'éclatante *Assomption de la Vierge* de Titien à l'intérieur de l'église I Frari (p. 84). Après les toiles tourmentées du Tintoret à la Scuola Grande di San Rocco (p. 86), le temps vous semblera bien clément et vous irez vous réchauffer à l'ImprontaCafé (p. 119) avec une polenta et un verre de *prosecco*. À la Scuola Grande dei Carmini (p. 114), toute proche, ne vous attardez pas devant les nuages gris des œuvres du rez-de-chaussée et prenez l'escalier de Baldassare Longhena pour admirer le plafond

Alta acqua (inondations) sur la place Saint-Marc (p. 40)

AVANT LE DÉPART

Trois semaines avant Réservez sur Internet des places pour un opéra à La Fenice (p. 57), les premières de film à la Mostra (p. 29) et les Itinerari Segreti du palais des Doges (p. 45).
Une semaine avant Prenez en ligne votre billet pour la Biennale (p. 29), appelez pour réserver un concert des Interpreti Veneziani (p. 97) et retenez sur http://fr.venezia.waf.it un billet coupe-file pour les Gallerie dell'Accademia (p. 113) – et éventuellement un concert.
La veille Consultez le programme des concerts, expositions et autres manifestations du moment sur les sites www.venezianews.it, www.veneziadavivere.com et www.aguestinvenice.com. Réservez par téléphone la visite du Ghetto et des synagogues (Museo Ebraico di Venezia, p. 75). Faites aussi une réservation de restaurant, et fourrez dans votre valise parapluie, maillot de bain et perruque poudrée. Vous voilà paré.

peint par Giambattista Tiepolo. Le ciel bleu vous attend dans les trompe-l'œil réalisés par le même Tiepolo dans les salons de la Ca' Rezzonico (p. 109). Concluez par une assiette de pâtes brûlantes à la Ristoteca Oniga (p. 120).

UNE JOURNÉE À LA PLAGE

Un saut en *vaporetto* jusqu'au Lido et vous voilà sur une chaise longue à regarder passer les bateaux et les célébrités. S'il vous faut de l'exercice, louez un vélo chez Lido on Bike (p. 136) et roulez jusqu'à l'Antico Cimitero Israelitico (p. 134), à 1,5 km au nord ; ou bien pédalez à l'ombre des pins sur les 6 km du front de mer jusqu'à Malamocco (p. 135). Dégustez quelques cocktails au Colony Bar (p. 136), puis installez-vous pour le dîner dans le jardin bien frais de la Trattoria La Favorita (p. 136). Le soir : film à la Mostra (p. 29) ou au Multisala Astra (p. 137), ou bien musique live à l'Aurora Beach Club (p. 137), ou encore soirée DJ à l'Ultima Spiaggia di Pachuka (p. 137).

VENISE PAS CHER

Déambulez parmi les pavillons de la Biennale (p. 59), témoins d'innombrables styles architecturaux, et remontez le canal jusqu'à la basilique Saint-Marc (p. 41) afin d'admirer sans rien débourser d'inestimables mosaïques. Faites un peu de lèche-vitrine pour rejoindre les marchés du Rialto (p. 94), où vous achèterez de quoi pique-niquer sur le quai du Campo San Giacometto. Retraversez le Rialto en direction du Ghetto (p. 19) et des synagogues installées au sommet des bâtiments, avant de gagner l'Osteria agli Ormesini (p. 80), où quelqu'un vous offrira peut-être un verre. L'été, il y a du cinéma, du théâtre et des concerts gratuits en plein air sur le Campo San Polo (p. 97).

>LES QUARTIERS

Le Ponte di Rialto (p. 86) : une vraie carte postale

LES QUARTIERS

Pour une cité faite d'îles, Venise est moins insulaire qu'on pourrait l'imaginer. Autrefois, les Vénitiens quittaient rarement leur quartier (*sestiere*), et certains hésitaient même à s'éloigner de l'île où ils vivaient. Et cela est facilement compréhensible : pourquoi partir quand le monde se bouscule à votre porte ?

Quand les Vénitiens prenaient le large, comme Marco Polo, ils rapportaient chez eux des histoires, des idées nouvelles et quantité de richesses de pays aussi lointains que la Mongolie. Ancienne plaque tournante du commerce mondial, Venise a fasciné les poètes, les noceurs, les collectionneurs d'art milliardaires et, plus généralement, tous ceux qui étaient prêts à sacrifier leur confort à l'autel de la beauté.

Certes plus accessible que jadis, Venise cultive néanmoins encore un certain élitisme, comme en témoignent les œuvres et les films présentés à la Biennale et à la Mostra. Pour autant, pas de snobisme : chacun est le bienvenu, tout le monde s'y sent bien, que l'on explore les quartiers périphériques de Cannaregio, Castello, Santa Croce ou de la Giudecca, ou que l'on préfère déambuler au centre, dans San Marco, après le départ des hordes de touristes.

Peu de risque de s'ennuyer : les quartiers sont si divers qu'il suffit de franchir quelques ponts ou de sauter dans un *vaporetto* pour découvrir un nouveau décor. Lassé des splendeurs byzantines, des Bellini et des boutiques de San Marco ? Rendez-vous à Santa Croce, où les façades baroques dissimulent de modestes cafés, où le vin est tiré directement du fût, et où les habitants ne parlent que de bateaux et de Berlusconi. Ou explorez Castello et ses espaces verts, si différents de l'ambiance industrielle de la Giudecca. Pour fuir les églises surpeuplées de San Polo, pourquoi ne pas explorer les synagogues de Cannaregio ? Et lorsque les plages du Lido sont envahies par des élégantes coiffées de chapeaux géants, le front de mer des Zattere, à Dorsoduro, est tout aussi ensoleillé. Plus loin encore, la lagune possède de nombreuses îles ignorées des foules.

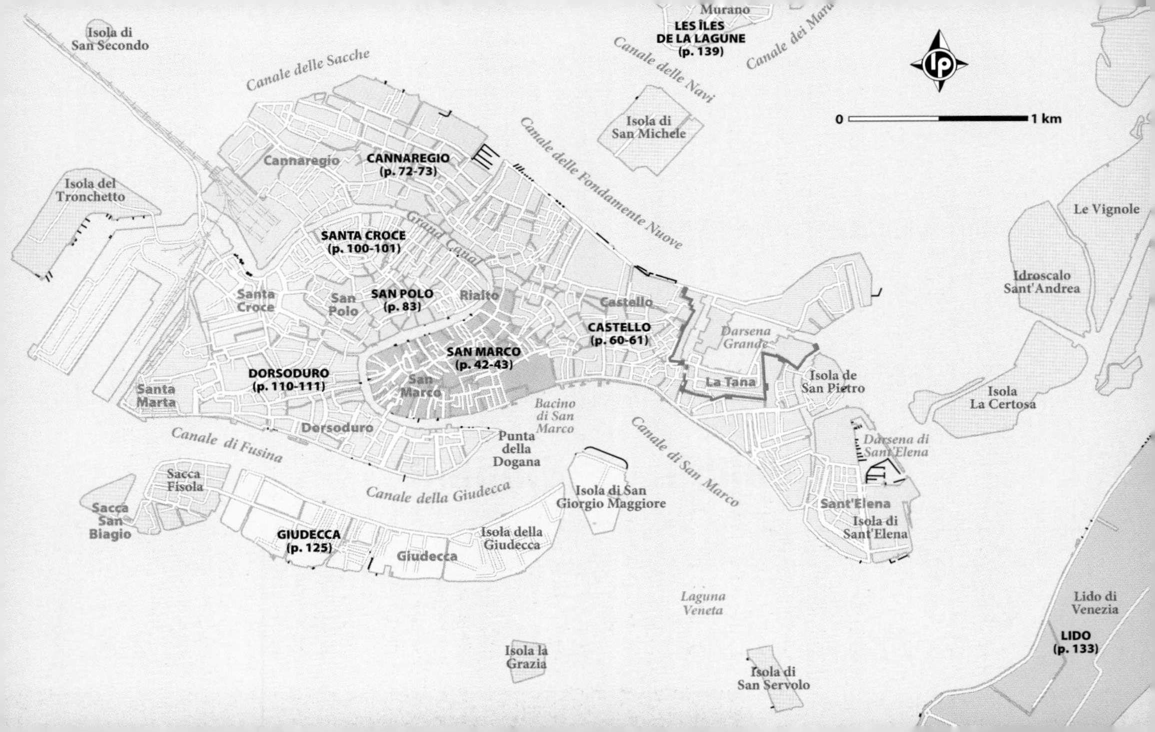
Murano
LES ÎLES
DE LA LAGUNE
(p. 139)
Canale delle Navi
Isola di
San Michele
0
1 km
Isola di
San Secondo
Canale delle Sacche
Canale delle Fondamente Nuove
Cannaregio
CANNAREGIO
(p. 72-73)
Isola del
Tronchetto
Le Vignole
SANTA CROCE
(p. 100-101)
Grand Canal
Idroscalo
Sant'Andrea
Santa
Croce
San
Polo
SAN POLO
(p. 83)
Rialto
Castello
CASTELLO
(p. 60-61)
Darsena
Grande
SAN MARCO
(p. 42-43)
Isola de
San Pietro
DORSODURO
(p. 110-111)
La Tana
Isola
La Certosa
Santa
Marta
San
Marco
Bacino
di San
Marco
Dorsoduro
Punta
della
Dogana
Canale di San Marco
Darsena di
Sant'Elena
Canale di Fusina
Sacca
Fisola
Canale della Giudecca
Isola di San
Giorgio Maggiore
Sacca
San
Biagio
Sant'Elena
Isola di
Sant'Elena
GIUDECCA
(p. 125)
Isola della
Giudecca
Giudecca
Laguna
Veneta
Lido di
Venezia
LIDO
(p. 133)
Isola la
Grazia
Isola di
San Servolo

>SAN MARCO

San Marco rassemble un tel nombre de sites mondialement connus que certains visiteurs y passent tout leur temps, tandis que d'autres l'évitent, fuyant l'affluence et les restaurants douteux. Le quartier n'est cependant pas seulement un piège à touristes : au coucher du soleil, la place Saint-Marc désertée est splendide, et les rues environnantes dissimulent d'authentiques *osterie* (bars-restaurants), où l'on peut manger et boire un verre avec les habitants de la ville. Au simple motif de ne pas faire comme les autres, il serait dommage de manquer La Fenice, la basilique Saint-Marc, le Palazzo Grassi et le palais des Doges. Vous ne tarderez d'ailleurs pas à comprendre ce qui vaut à ces monuments leur prestige international... Partez ensuite à la découverte des innombrables galeries d'art contemporain, des belles boutiques et des *bacari* (bars) branchés du quartier : loin de s'endormir sur ses lauriers, San Marco continue de créer l'événement.

SAN MARCO

VOIR

Ateneo di San Basso........1 H3
Basilique Saint-Marc.......2 H4
Campanile.......................3 H4
Caterina Tognon Arte......4 C5
Torre dell'Orologio..........5 H4
Palais des Doges..............6 H4
Galleria Traghetto...........7 D5
Jarach Gallery..................8 E4
La Galleria van der Koelen...................9 D5
Museo Correr.................10 G4
Museo Fortuny...............11 D3
Palazzo Contarini del Bovolo.................12 E3
Palazzo Grassi...............13 A4
Santa Maria del Giglio...14 D5
Santo Stefano................15 C4

SHOPPING

Arcobaleno....................16 C4
Epicentro.......................17 G4
Fiorella Gallery.............18 C5
Gloria Astolfo................19 F4
Le Botteghe...................20 F1
Legatoria Piazzesi.........21 D5
Libreria Studium...........22 H3
Maliparmi......................23 E2
Ma.Re............................24 E5
Micromega Ottica..........25 D5
Millevini........................26 F1
Mondadori.....................27 F5
Ottica Carraro................28 D3
Venetia Studium............29 E5

SE RESTAURER

Andrea Zanin.................30 E3
Caffe Mandola...............31 D4
Cava Tappi.....................32 H3
Enoteca Al Volto............33 E2
Osteria alla Botte..........34 G1
Osteria I Rusteghi..........35 G1
Vini da Arturo................36 D3

PRENDRE UN VERRE

B Bar.............................37 F5
Bacaro...........................38 F5
Bar all'Angolo................39 C4
Harry's Bar.....................40 G5
Torino@Notte................41 E3
Vino Vino.......................42 E5

SORTIR

Aurora Caffè..................43 G4
Caffè Florian..................44 G5
Centrale.........................45 E4
Musica a Palazzo...........46 D6
La Fenice.......................47 D4

Voir la carte p. 42-43

VOIR

BASILIQUE SAINT-MARC

☎ 041 5225205 ; www.basilicasanmarco.it ; Piazza San Marco ; basilique gratuite, Pala d'Oro/Loggia dei Cavalli et musée/trésor 2/4/3 € ; 9h45-17h lun-sam avr-sept, 9h45-16h nov-mars, 14h-16h dim et fêtes ; San Marco, San Zaccaria, Vallaresso

Les apôtres au regard étincelant et les anges ornant les dômes d'or de la basilique font l'admiration des touristes pourtant blasés : imaginez la réaction de ceux qui la découvraient au Moyen Âge ! Les demeures vénitiennes étaient basses, en bois et peu éclairées. Les pigments de couleur étaient un luxueux produit d'importation. L'imposante structure de pierre, illuminée par les reflets de millions de minuscules tesselles faites d'or et de pierres semi-précieuses, tranchait donc avec l'architecture dominante. La basilique, chapelle officielle des doges (qui régnaient sur Venise), servait de vitrine aux trésors volés, comme les chevaux de bronze doré de Constantinople qui se dressaient à l'entrée centrale (Napoléon s'en empara plus tard). Aujourd'hui, ceux qui ornent le portail de la Loggia dei Cavalli sont des copies, mais on peut admirer les originaux à l'intérieur. Rome prit ombrage de l'arrogance de Venise, qui n'hésitait pas à prendre Dieu à témoin de sa gloire, ce qui

Vue plongeante sur la place Saint-Marc depuis la Loggia dei Cavalli (basilique Saint-Marc)

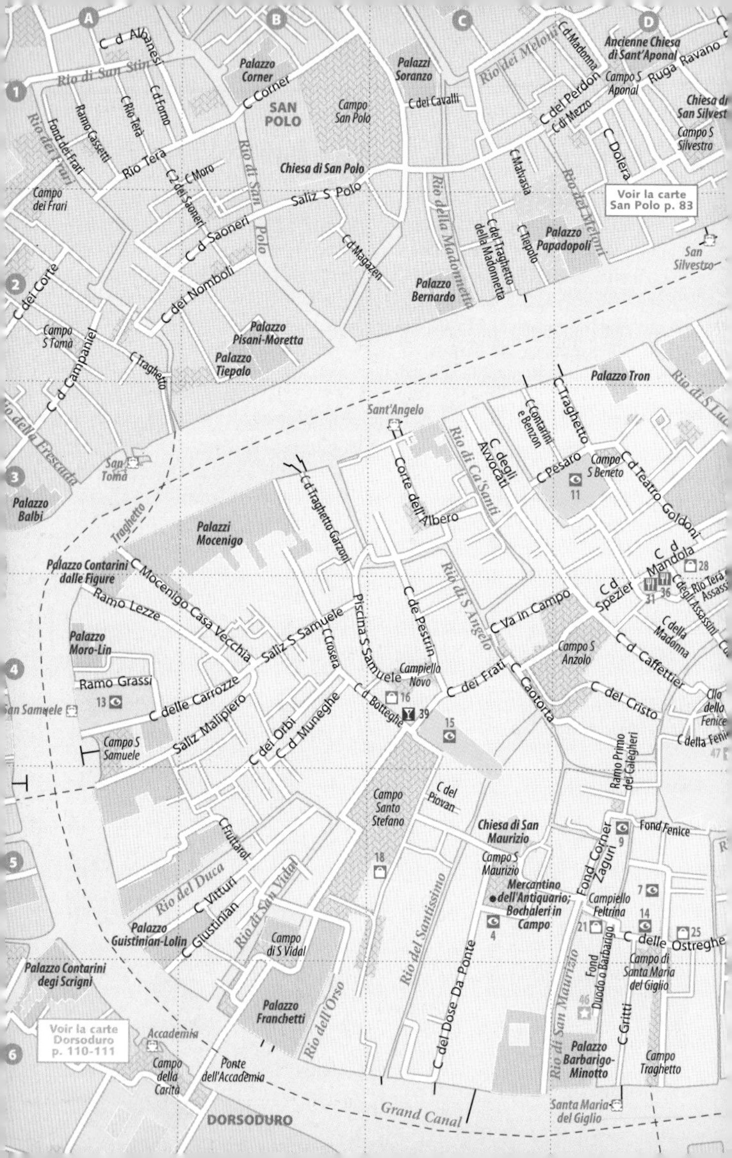

A
B
C
D
1
2
3
4
5
6
C d Albanesi
Rio di San Stin
Palazzo Corner
C Corner
SAN POLO
Campo San Polo
Palazzi Soranzo
Rio dei Meloni
C d Madonna
Ancienne Chiesa di Sant'Aponal
Campo S Aponal
Ruga Ravano
Chiesa di San Silvestro
Campo S Silvestro
C del Perdon
C di Mezzo
C dei Cavalli
Rio dei Frari
Fond dei Frari
Ramo Cassetti
C Rio Terà
C d Forno
Rio Terà
C Moro
C 2 dei Saoneri
Rio di San Polo
Chiesa di San Polo
Saliz S Polo
Rio della Madonnetta
C Malvasia
Rio dei Meloni
C Dolera
Voir la carte San Polo p. 83
Campo dei Frari
C d Saoneri
C d Magazen
C del Traghetto della Madonnetta
C Tiepolo
Palazzo Papadopoli
San Silvestro
C dei Corte
C dei Nomboli
Palazzo Bernardo
Campo S Tomà
C d Campaniel
Palazzo Pisani-Moretta
Palazzo Tiepolo
C Traghetto
Palazzo Tron
Rio della Frescada
Sant'Angelo
C Contarini e Benzon
C Traghetto
C degli Avvocati
Rio di Ca' Santi
San Tomà
C d Traghetto Garzoni
Corte dell'Albero
C Pesaro
Campo S Beneto
C d Teatro Goldoni
11
Palazzo Balbi
Traghetto
Palazzi Mocenigo
Palazzo Contarini dalle Figure
C Mocenigo Casa Vecchia
Ramo Lezze
Rio di S Angelo
C d Mandola
28
Rio Terà Assassini
C d Spezier
31
36
C degli Assassini
Piscina S Samuele
C de Pestrin
C Va in Campo
Palazzo Moro-Lin
Saliz S Samuele
C Crosera
C della Madonna
Campo S Anzolo
C d Caffettier
Ramo Grassi
13
Campiello Novo
C dei Frati
Caotorta
C delle Carrozze
16
C d Botteghe
39
C del Cristo
Calle della Fenice
San Samuele
Saliz Malipiero
C dei Orbi
C d Muneghe
15
C della Fenice
47
Campo S Samuele
Ramo Primo dei Calegheri
Campo Santo Stefano
C del Piovan
C Fruttarol
Chiesa di San Maurizio
Fond Fenice
Fond Corner Zaguri
9
Campo S Maurizio
18
Rio del Duca
Rio di San Vidal
Mercantino dell'Antiquario; Bochaleri in Campo
7
C Vitturi
Campiello Feltrina
Palazzo Guistinian-Lolin
C Giustinian
Rio del Santissimo
4
21
14
25
C delle Ostreghe
Campo di S Vidal
Palazzo Contarini degi Scrigni
Fond Duodo o Barbarigo
Campo di Santa Maria del Giglio
Palazzo Franchetti
Rio dell'Orso
C del Dose Da Ponte
Rio di San Maurizio
46
C Gritti
Voir la carte Dorsoduro p. 110-111
Accademia
Palazzo Barbarigo-Minotto
Campo Traghetto
Campo della Carità
Ponte dell'Accademia
Santa Maria del Giglio
Grand Canal
DORSODURO

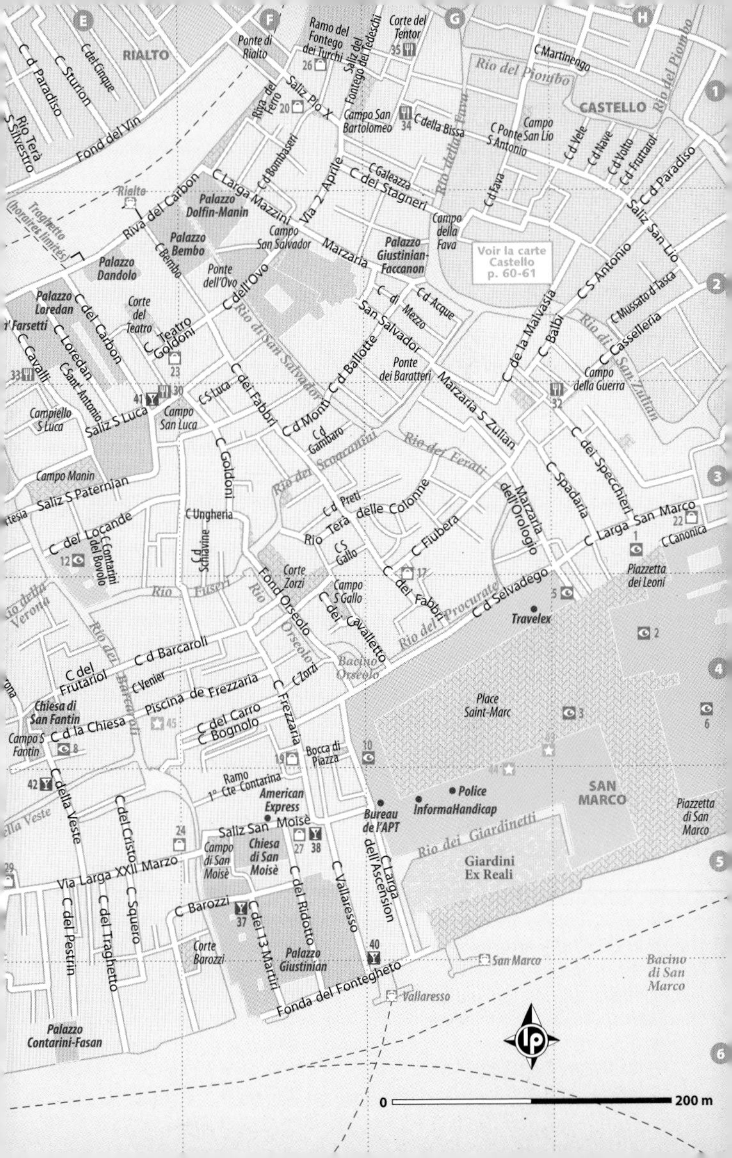

RIALTO
CASTELLO
SAN MARCO
Ponte di Rialto
Ramo del Fontego dei Turchi
Saliz del Fontego dei Tedeschi
Corte del Tentor
C Martinengo
Rio del Piombo
Saliz Pio X
Riva del Ferro
Campo San Bartolomeo
C della Bissa
C Ponte San Lio
S Antonio
Campo San Lio
Fond del Vin
Rio Terà S Silvestro
C d Paradiso
C Sturion
C del Cinque
Rialto
Traghetto (horaires limités)
Riva del Carbon
C Larga Mazzini
Via 2 Aprile
C d Bombaseri
C Galeazza
C dei Stagneri
Rio della Fava
C d Fava
Campo della Fava
Voir la carte Castello p. 60-61
Palazzo Dolfin-Manin
Palazzo Bembo
Palazzo Dandolo
Palazzo Loredan
Palazzo Giustinian-Faccanon
Campo San Salvador
Marzaria
C Bembo
Ponte dell'Ovo
C dell'Ovo
Rio di San Salvador
San Salvador
C d Acque
C di Mezzo
C de la Malvasia
C Balbi
C S Antonio
Saliz San Lio
C d Paradiso
C Mussato d Tasca
C Casselleria
Rio di San Zulian
Campo della Guerra
Corte del Teatro
C Teatro Goldoni
C del Carbon
C Loredan
C Sant' Antonio
C Cavalli
Farsetti
Campiello S Luca
Saliz S Luca
Campo San Luca
C S Luca
C dei Fabbri
C d Ballotte
C d Monti
C d Gambaro
Ponte dei Baratteri
Marzaria S Zulian
C dei Specchieri
C Spadaria
Rio dei Scoacamini
Rio dei Ferali
Campo Manin
Saliz S Paternian
C Goldoni
C Ungheria
C d Preti
Rio Terà delle Colonne
C S Gallo
Marzaria dell'Orologio
C Fiubera
C Larga San Marco
C Canonica
Piazzetta dei Leoni
C del Locande
C Contarini del Bovolo
C d Schiavine
Rio Fuseri
Corte Zorzi
Fond Orseolo
Rio Orseolo
Campo S Gallo
C dei Cavalletto
C dei Fabbri
C d Selvadego
Rio del Procurate
Travelex
Rio della Verona
Rio dei Barcaroli
C del Frutariol
C d Barcaroli
C Venier
Piscina de Frezzaria
C Zorzi
Bacino Orseolo
Place Saint-Marc
Chiesa di San Fantin
Campo S Fantin
C d la Chiesa
C del Carro
C Bognolo
Frezzaria
Bocca di Piazza
Ramo 1° Cte Contarina
American Express
Police
InformaHandicap
Bureau de l'APT
Piazzetta di San Marco
C della Veste
C del Cristo
Saliz San Moisè
Chiesa di San Moisè
Campo di San Moisè
Rio dei Giardinetti
Giardini Ex Reali
Via Larga XXII Marzo
C Squero
C Barozzi
C dei 13 Martiri
C del Ridotto
C Vallaresso
C Larga dell'Ascension
Corte Barozzi
Palazzo Giustinian
C del Pestrin
C del Traghetto
Fonda del Fonteghetto
San Marco
Vallaresso
Bacino di San Marco
Palazzo Contarini-Fasan
0
200 m

n'empêcha pas la ville d'achever la basilique à son goût : le style marie coupoles orientales, plan en croix grecque, arcs gothiques et sols en marbre d'Égypte disposés en fascinants motifs. Le circuit balisé qui parcourt l'église est gratuit et dure environ 15 minutes, mais l'intérieur est d'une telle beauté qu'il est conseillé de prévoir un second passage. La Loggia dei Cavalli offre une vue magnifique sur la place Saint-Marc. Les calices en albâtre et les icônes conservés dans le trésor ne valent pas les somptueuses miniatures en émail du retable de la Pala d'Oro, incrusté de joyaux. Avant d'entrer dans la basilique, pensez à vous vêtir avec retenue (genoux et épaules couverts). Les grands sacs doivent être déposés à l'**Ateneo di San Basso** (9h30-17h30), juste à côté. Voir aussi p. 10.

CAMPANILE

041 5225205 ; www.basilicasanmarco.it ; Piazza San Marco ; entrée 8 € ; 9h-19h avr-juin et oct, 9h-21h juil-sept, 9h30-15h45 nov-mars ; San Marco, Vallaresso

Trapue, disgracieuse… au cours des siècles, les critiques n'ont pas eu de mots assez durs contre ce clocher de brique de 99 m de hauteur. Mais, lorsque la tour, édifiée en 888 et reconstruite en 1514, s'effondra à la surprise de tous en 1902, les dirigeants vénitiens la firent reconstruire à l'identique. L'affection qu'inspirait l'ancien phare de la ville devenu son emblème l'emporta sur les objections de ses détracteurs. Et personne n'oserait nier que la vue du sommet est à couper le souffle…

CATERINA TOGNON ARTE

041 5207859 ; www.caterinatognon.com ; Campo San Maurizio 2671 ; gratuit ; 15h-19h lun-sam ; Santa Maria del Giglio

Derrière une modeste devanture se cache une galerie qui fait souvent parler d'elle. Un mélange d'artistes contemporains émergeants ou reconnus est présenté ici ou dans la toute proche galerie stART (entrée par la galerie principale). Les salles font partie du Palazzo da Ponte, du XVIIe siècle. Récemment, une grande exposition consacrée à la verrerie d'avant-garde a rassemblé les œuvres aux formes viscérales de Kiki Smith et les créations de Roberta Silva, poétiques bulles de verre renfermant l'unique expiration du souffleur.

TORRE DELL'OROLOGIO

041 5209070 ; www.museicivici veneziani.it ; Piazza San Marco ; visite 12 €, VeniceCard 7 € ; visite 10h, 11h et 13h lun-mer, 14h, 15h et 17h jeu-dim ; San Marco, Vallaresso

À en croire la légende, on assassina les concepteurs de cette horloge astronomique afin qu'aucune autre ville ne se dote d'un tel chef-d'œuvre d'ingénierie. Le monument rénové est aujourd'hui ouvert aux visiteurs, qui admirent depuis la terrasse les statues des deux Maures dominant la place Saint-Marc. L'escalier en colimaçon qui mène au sommet est raide et étroit (les claustrophobes s'abstiendront), mais la vue est magnifique. Depuis la place, on peut voir trois rois et un ange sortir de l'horloge le jour de l'Épiphanie (6 janvier) et de l'Ascension (deuxième dimanche de mai).

PALAIS DES DOGES

041 2715911 ; www.museicivici veneziani.it ; Piazza San Marco 52 ; adulte/étudiant avec le Museo Correr et un des Musei civici veneziani 13/8 € ; 9h-19h avr-oct, 9h-17h nov-mars ; San Marco, Vallaresso

Toute la splendeur et les intrigues politiques de la république de Venise hantent ce monument emblématique de la Sérénissime. Vous saurez tout grâce aux très passionnants **Itinerari Segreti** (Itinéraires secrets ; visite guidée comprenant l'entrée au palais des Doges 16 € ; 9h55, 10h45 et 11h35).

Entrez par la cour aux colonnes gothiques et gravissez la Scala dei Censori (escalier des Censeurs) et la Scala d'Oro (escalier d'Or) de Sansovino. Vous débouchez dans des salles dont les murs sont décorés de magnifiques exemples de propagande : le Tintoret y a peint les vertus de Venise, Giambattista Tiepolo y a réalisé *Venise recevant de Neptune les présents de la mer*, et Véronèse représenta sur les plafonds de la salle du Conseil, conçue par Andrea Palladio, le gouvernement de la république sous un jour très flatteur. La salle du Consiglieri dei Dieci (Conseil des Dix), services secrets tant redoutés des Vénitiens, a conservé la fente où étaient glissées les dénonciations, et le portrait par Véronèse de *Junon couvrant Venise de présents*. Derrière le trône du Doge, dans l'immense salle du Grand Conseil (inaugurée en 1419), le fils du Tintoret, Domenico, plaça dans son *Paradis* les portraits de 500 personnalités vénitiennes (et clients de son père). L'étage inférieur abrite des images cauchemardesques de Jérôme Bosch, maître des visions apocalyptiques. Le pont des Soupirs (Ponte dei Sospiri) mène aux cellules humides des Prigione Nuove (nouvelles prisons), couvertes de graffitis et de déclarations d'innocence. On émerge, ébloui, dans la cour aux reflets roses, ornée d'arches gothiques dentelées du XVe siècle. Voir aussi p. 25.

GALLERIA TRAGHETTO

041 5221188 ; www.galleria traghetto.it ; Campo Santa Maria del Giglio 2543 ; gratuit ; 15h-19h lun-sam ; Santa Maria del Giglio

Cette galerie expose de jeunes artistes italiens et internationaux qui seront probablement les stars de demain. Installé à Rome, Serafino Maiorano y présente ses photographies numériques artistiquement floues, dont les rouges sang rappellent Vittore Carpaccio. Quant au peintre lituanien Andrius Zakarauskas, il illustre l'Histoire par des saluts et des doigts pointés composant une gestuelle pleine d'ironie.

JARACH GALLERY

041 5221938 ; www.jarachgallery.com ; Campo San Fantin 1997 ; gratuit ; 14h-20h mar-dim ; Santa Maria del Giglio

Si La Fenice est la star incontestable de la place, cette galerie consacrée à la photographie contemporaine vaut aussi le détour. Les expositions sont surprenantes, telles les œuvres de Giorgio Barrera qui représentent des meurtres aperçus depuis des fenêtres gothiques vénitiennes. La galerie est située dans un passage *(sotoportego)* ombragé.

LA GALLERIA VAN DER KOELEN

041 5207415 ; www.galerie.vanderkoelen.de ; Ramo Primo dei Calegheri 2566 ; gratuit ; 10h-12h30 et 15h30-18h30 lun-sam ; Santa Maria del Giglio

Discrètement installée derrière le prestigieux édifice de La Fenice, cette galerie est l'instigatrice d'un renouveau esthétique. Dernièrement, Günther Uecker y a exposé ses travaux sur papier ainsi que ses œuvres plus connues réalisées avec des clous.

MUSEO CORRER

041 2405211 ; www.museicivici veneziani.it ; Piazza San Marco 52 ; adulte/étudiant avec palais des Doges et un des Musei civici veneziani 13/8 € ; 9h-19h avr-oct, 9h-17h nov-mars ; San Marco, Vallaresso

On peut se moquer de ses chapeaux et de sa petite taille, mais Napoléon s'y connaissait en organisation, dans le domaine militaire autant qu'architectural. L'église qui se dressait à l'extrémité ouest de la place Saint-Marc en fit les frais : elle fut rasée et laissa la place à une somptueuse salle de bal. Aujourd'hui, le Museo Correr occupe les 1er et 2e étages de la galerie à arcades dominant la place. Outre les statues gréco-romaines et de magnifiques peintures médiévales, le musée abrite l'un des chefs-d'œuvre de Venise : une bibliothèque du XVIe siècle, la Libreria Nazionale Marciana, ornée d'allégories de la sagesse par Véronèse et Titien. Au Caffè dell'Arte, sous le regard des griffons et autres monstres baroques, vous dégusterez un verre de merlot vénitien (4 €) en admirant la place Saint-Marc.

MUSEO FORTUNY

041 5209070 ; www.museicivici veneziani.it ; Campo San Beneto 3958 ; entrée 8 €, VeniceCard 5 € ; 10h-18h mer-lun ; Sant'Angelo

Excentrique et résolument d'avant-garde, le styliste espagnol Mariano Fortuny y Madrazo (1871-1949) préférait aux corsets victoriens les formes souples des toges grecques. Son salon gothique fut fréquenté par de nombreux artistes, notamment par la danseuse Isadora Duncan. Si les expositions temporaires sont plus ou moins intéressantes, la collection permanente comprend des chandeliers d'inspiration maure et des salles somptueusement tapissées des soies imprimées du créateur. Dans l'atelier, au dernier étage, les esquisses de 1910 n'ont pas pris une ride.

PALAZZO CONTARINI DEL BOVOLO

041 5322920 ; Calle Contarini del Bovolo 4299 ; cour gratuite ; 10h-18h ; Rialto

Ce palais du XVe siècle doit son nom à son escalier extérieur en colimaçon (*bovolo*). Il est actuellement fermé pour restauration, mais, depuis la cour, on peut admirer ce splendide joyau de l'architecture Renaissance, tout en brique et en arches blanches.

PALAZZO GRASSI

041 5231680 ; www.palazzograssi.it ; Campo San Samuele 3231 ; adulte/étudiant 15/6 € ; 10h-19h ; San Samuele

Le Palazzo Grassi réconcilie la Venise d'hier et de demain. Ce palais néoclassique construit par Giorgio Masari en 1749 et rénové par l'architecte minimaliste Tadao Ando abrite désormais l'exceptionnelle collection d'art contemporain de François Pinault ainsi que des expositions temporaires. Remarquez les plafonds peints, habilement mis en valeur par l'illumination et les panneaux amovibles de l'architecte japonais. L'homme d'affaires français est aussi à la tête du projet de rénovation de la Punta della Dogana, qu'il a également confié à Tadao Ando (p. 114). Voir aussi p. 26.

SANTA MARIA DEL GIGLIO

Campo di Santa Maria Zobenigo 2543 ; entrée 3 €, gratuit avec le forfait Chorus ; 10h-17h lun-sam ; Santa Maria del Giglio

Sous l'apparence d'une petite église de quartier de style baroque, Santa Maria del Giglio est un véritable bijou. L'intérieur révèle en effet un plan byzantin du Xe siècle et les œuvres de trois maîtres. Derrière l'autel se dresse la *Madone à l'Enfant*, de Véronèse. Les *Quatre évangélistes* du Tintoret jouxtent l'orgue. Le plafond de La chapelle Molin est dû à Domenico Tintoretto, fils du Tintoret. Il est éclipsé par une exquise petite toile de *Marie, Jésus et saint Jean* par Peter Paul Rubens, amateur de beautés potelées.

SANTO STEFANO

Campo Santo Stefano 3825 ; église gratuit, musée 3 €, gratuit avec le forfait Chorus ; 10h-17h lun-sam ; Accademia

Les plafonds en bois des plus grandes églises de Venise provenaient des chantiers navals, comme en témoigne la quille de navire (*carena di nave*) de cette église, qui évoque un magnifique navire retourné. La salle latérale possède deux toiles émouvantes et inquiétantes du Tintoret : *La Cène*, où un petit chien fantomatique mendie un quignon de pain, et l'obscur *Lavement des pieds*. Dans le cloître, la stèle funéraire de Giorgio Falier a été sculptée en 1808 par Antonio Canova ; elle montre des femmes endeuillées enveloppées dans des voiles. Les yeux tournés vers le ciel du saint de Tullio Lombardo (1505) sont d'une telle clarté que Titien s'en inspira pour sa Madone d'I Frari (p. 84).

SHOPPING

ARCOBALENO

Fournitures d'art

041 5236818 ; Calle delle Botteghe 3457 ; 9h30-13h30 et 15h-19h lun-sam ; Accademia

Les innombrables chefs-d'œuvre des peintres vous inspirent ? Arcobaleno, dont les étagères débordent de pots de pigments essentiels (rouge Titien, bleu ciel Tiepolo, rose Véronèse ou turquoise Tintoret), possède tout le matériel nécessaire aux peintres en herbe.

EPICENTRO

Cadeaux, décoration

041 5226864 ; Calle dei Fabbri 932 ; 15h-19h lun, 9h30-13h30 et 15h-19h mar-sam ; Vallaresso

Comment ne pas craquer pour l'indispensable carafe à sauce de soja d'Alessi, en forme de colibri ? Epicentro rassemble une vaste sélection d'irrésistibles objets design, ainsi qu'un choix exhaustif de créations Alessi, du sucrier en forme de singe au troll pour accrocher sa brosse à dents. Un ravissant bric-à-brac dans une charmante petite boutique.

FIORELLA GALLERY *Mode*

041 5209228 ; www.fiorellagallery.com ; Campo Santo Stefano 2806 ; 15h-19h lun, 9h30-13h30 et 15h30-19h mar-sam ; Accademia

Juchés sur des talons hauts, des mannequins de doges arborant des modèles vénitiens subversifs ne manqueront pas de réveiller la rock star qui sommeille en vous. Les vestes d'intérieur en velours de soie, aux teintes oscillant entre

Les curieux mannequins de la Fiorella Gallery

lavande et rouge sang, sont imprimées à la main de motifs baroques et portent la griffe de Fiorella : des rats aux yeux écarquillés. Les modèles sont coûteux (plusieurs centaines d'euros) mais spectaculaires – ne manquez pas le miroir Ettore Sottsass couvert de graffitis.

GLORIA ASTOLFO *Bijoux*

041 5206827 ; Calle Frezzeria 1581 ; 9h30-13h30 et 15h-19h lun-sam ; Vallaresso

Boucles d'oreilles tout droit sorties d'une toile vénitienne, colliers en cascades dignes du décor baroque de La Fenice… Ces bijoux en perles confectionnés à la main sont vendus à des prix plus que raisonnables (à partir de 35 €)… surtout à proximité de la place Saint-Marc !

LE BOTTEGHE *Cadeaux, commerce équitable*

041 5227545 ; Ponte di Rialto 5164 ; 10h-19h lun-sam ; Rialto

Cette boutique de commerce équitable située dans les marchés du Rialto concilie design italien et altermondialisme. Produits par une coopérative bangladaise, les jolis chapeaux de paille pliables dans des teintes safran et fuchsia sont idéaux pour une promenade en gondole. Quant aux pochettes en perles africaines, elles sont dignes d'une soirée à La Fenice.

LEGATORIA PIAZZESI *Papeterie*

041 5221202 ; www.legatoriapiazzesi.it ; Campiello Feltrina 2511c ; variable ; Santa Maria del Giglio

Le magasin le plus insolite de la ville – et ce n'est pas peu dire. Spécialiste des impressions manuelles et du papier marbré depuis 1851, ce papetier historique vend des albums de photos, des journaux de voyages et des étagères à livres en papier, mais propose également des services plus ésotériques, comme la graphologie. Les horaires d'ouverture sont fantaisistes ; renseignez-vous sur les cours de papeterie et de phrénologie.

LIBRERIA STUDIUM *Livres*

041 5222382 ; Calle Canonica 337 ; 9h-19h30 lun-sam, 9h30-13h30 dim ; San Zaccaria

Cette librairie, dont chaque pan de mur est recouvert de livres, possède une vaste sélection de littérature en langues étrangères. Les ouvrages du rayon sur la cuisine italienne sont aussi magnifiques qu'appétissants. On y trouve aussi des documents érudits ainsi qu'un bon choix de guides Lonely Planet (sans aucun préjugé de notre part). Les vendeurs bibliophiles trouvent sans hésitation les titres les plus rares.

MA.RE *Verreries*

041 5231191 ; www.mareglass.com ; Via Larga XXII Marzo 2088 ; 10h-19h lun-sam ; Santa Maria del Giglio

MA.RE permet d'admirer les créations contemporaines des talentueux verriers de Murano sans quitter le centre-ville : soufflées, gravées, transparentes ou de couleurs vives, les possibilités sont infinies. Les verres à vin gravés produits en édition limitée par Salviati (45 € l'unité) seront réservés aux invités de marque et mis hors de portée des convives maladroits.

MALIPARMI *Mode*

041 5285608 ; www.maliparmi.it ; Calle Teatro Goldoni 4600a ; 10h-19h lun-sam ; Santa Maria del Giglio

Cette boutique chic et accueillante et sa collection d'accessoires de luxe à des prix étonnamment doux séduiront les voyageurs branchés de New York à Venise. Installée à Padoue, la marque confectionne des coupes confortables dans des tissus agréables et des teintes qui rappellent Missoni et Miu Miu.

MICROMEGA OTTICA *Lunettes*

041 2960765 ; www.micromegaottica.com ; Campo di Santa Maria del Giglio 2436 ; 10h30-19h lun-sam, 11h-19h dim ; Santa Maria del Giglio

Ce créateur vénitien privilégie les matériaux naturels (corne, fil d'or, tige de bois sans écorce…). Conçues dans des formes astucieuses, sans charnière ni point de pression, les lunettes sont solides et confortables. Les verres sont coupés au laser dans des formes simples ou plus originales, comme une feuille. Ces véritables sculptures pour les yeux ont néanmoins un prix : compter au moins 600 € pour une paire.

MILLEVINI *Vin*

041 5206090 ; Ramo del Fontego dei Turchi 5362 ; 9h-13h30 et 15h30-19h lun-sam ; Rialto

Cette enseigne représentant des petits producteurs et vignobles vénitiens est un îlot d'élégance entre les stands de T-shirts et les cafés clinquants du Rialto. Le personnel bien informé vous aidera à faire votre choix parmi les bouteilles illuminées comme des offrandes divines, et vous informera des prochaines dégustations.

MONDADORI *Livres, musique*

041 5222193 ; Salizada San Moisè 1345 ; 10h-22h lun-sam, 15h-20h dim ; Vallaresso

On y vient pour les livres, et on y reste pour l'architecture, les boissons et la conversation. Difficile de résister à la sélection de CD, magazines, DVD et romans de cette chaîne italienne. Même les plus pressés auront du mal à s'arracher à cet ancien cinéma, où est également installé le bar Bacaro (p. 54). Des soirées littéraires et des expositions de photographes locaux y sont organisées.

OTTICA CARRARO *Lunettes*

041 5204258 ; www.otticacarraro.it ; Calle della Mandola 3706 ; 9h-13h et 15h30-19h lun-sam ; Sant'Angelo

Si vous avez perdu vos lunettes de soleil au Lido, Ottico Carraro vous réalise une paire sur mesure en 24 heures. Le choix est varié, des modèles criards des années 1980 aux montures en caoutchouc mat genre bonbons.

VENETIA STUDIUM *Mode, décoration*

041 5236953 ; www.venetiastudium.com ; Palazzo Zuccato, Via Larga XXII Marzo 2425 ; 10h-19h lun-sam ; Santa Maria del Giglio

Les accessoires indispensables des adeptes du chic bohème : des robes-tuniques théâtrales prisées par Peggy Guggenheim aux sacs en velours de soie imprimés à la main (à partir de 50 €), sobres et élégants.

SE RESTAURER

ANDREA ZANIN *Pâtisseries* €

041 5224803 ; Campo San Luca 4589 ; 9h-19h lun-sam ; Rialto

Venise a un remède secret contre la morosité : une gourmandise servie à un bar rutilant et arrosée d'un expresso bien fort. Ici, tout est délicieux et sophistiqué : carrés de génoise à la mousse de citron, minuscules coupes de chocolat garnies de trois types de mousses et ornées de feuilles d'or, ou encore truffes de *gianduja* (fondant chocolat noisette) au sésame, à déguster à l'entracte de La Fenice.

CAFFE MANDOLA *Sandwichs* €

041 5237624 ; Calle della Mandola 3630 ; 9h-19h lun-sam ; Vallaresso

La *focaccia* juste sortie du four est la spécialité de la maison. Elle est fourrée d'ingrédients savoureux et originaux : thon et câpres, fine tranche de *bresaola* (bœuf séché), roquette et *grana padano*, un fromage relevé. En dehors

Giovanni d'Este
Sommelier et télépathe à l'heure de l'apéritif à l'Osteria I Rusteghi (p. 54)

Munissez-vous d'une boussole Les véritables *osterie* [bars-restaurant] vénitiennes sont toujours bien cachées. **Prévoir votre commande** Les Français apprécient les crus délicats comme le *ripasso*, un vin du Valpolicella. Les Américains, eux, préfèrent les rouges complexes, comme l'*amarone*. Et tout le monde aime le *soave* et le *prosecco*. **Les vins vénitiens sont étonnants** Le cabernet franc Pramaggiore est comme une belle femme voluptueuse qui ne passe pas inaperçue… Le *refosco* est un vin ancien… Il coule dans nos veines. Notre merlot est d'une extrême élégance : il a du corps, de l'acidité et de la robustesse. À côté, les autres merlots ont l'air juvénile. **Tout sauf…** Du *spumante* sec au dessert, quelle horreur ! Le sucre couvre son goût subtil. Le *fragolino* [vin parfumé à la fraise] fait l'affaire, mais les Vénitiens ne trempent pas de biscuit dedans. Le *sgroppino* [sorbet citron au *prosecco* et à la vodka] est idéal entre deux plats.

des heures d'affluence, soit au moment du déjeuner et de la *happy hour*, on peut déguster son sandwich dehors, sur des tabourets.

CAVA TAPPI

Cuisine vénitienne, sandwichs €

041 2960252 ; Campo della Guerra 525-526 ; 11h15-16h mar-jeu, 11h15-16h et 19h-22h ven et sam ; San Zaccaria

Tout près de la place Saint-Marc mais à mille lieues du kitsch et des restaurants pour touristes. On y sert des plats de saison, un excellent choix de vins au verre et, rareté dans le quartier, de savoureux repas pour moins de 10 €. Il suffit de commander les pâtes ou le risotto du jour, un vin et le fromage de brebis arrosé de miel pour le dessert.

ENOTECA AL VOLTO

Cicheti, cuisine vénitienne €€

041 5228945 ; Calle Cavalli 4081 ; 11h-14h et 17h-21h mar-sam ; Rialto

Un immense choix de vins et de *cicheti* (tapas vénitiennes) est servi au bar, très fréquenté. Mais vous préférerez peut-être venir tôt et prendre une table dans la salle du fond, douillettement assis sous les poutres. Les portions de pâtes aux palourdes et au vin blanc rassasieraient n'importe quel sportif ; les tranches épaisses

Ambiance cosy à l'Enoteca Al Volto

de steak sont servies dans une mare de sauce et accompagnées d'un verre d'*amarone*.

OSTERIA ALLA BOTTE

Cicheti, cuisine vénitienne €€

041 5209775 ; Calle della Bissa 5482 ; 11h-15h et 17h30-22h lun-mer, ven et sam, 11h-15h dim ; Rialto

Les petits prix, la qualité et l'abondance des *cicheti* attirent ici une foule de gastronomes qui dégustent chaque plat avec un verre de vin – la carte en comprend plus de 25. La salle est moins bruyante que le bar. On y sert généralement des classiques, comme les pâtes aux fruits de mer. D'authentiques plats de tripes sont parfois proposés.

OSTERIA I RUSTEGHI

Cicheti €€

041 5232205 ; Corte del Tentor 5513 ; 10h30-15h et 18h-21h lun-ven ; Rialto

Cette *osteria* (bar-restaurant) est tenue depuis quatre générations par des amoureux du vin et travaille en exclusivité avec un boucher de Toscane. Cela explique la qualité du vin, de la viande et le choix de *cicheti* : tranches de pain garnies de fruits de mer, de légumes grillés ou de truffe, mais c'est vraiment la viande qu'il faut goûter. Après le salami de sanglier, la pancetta et le tendre *lardo di Colonnata* (lard salé), vous ne verrez plus jamais le cochon avec le même œil. Confiez à Giovanni le choix du vin : après un long regard inquisiteur, il vous présentera une bouteille en accord avec votre caractère – le Raboso del Piave convient aux généreux, et le *refosco* aux plus malins…

VINI DA ARTURO *Viande* €€€

041 5286974 ; Calle degli Assassini 3656 ; 19h-23h lun-sam ; Sant'Angelo

Ignorez la carte des pâtes : les fidèles de ce restaurant – comptant seulement huit tables – ne viennent que pour les steaks. Relevées de poivre vert, marinées au cognac et à la moutarde ou encore servies saignantes sur l'os, les tranches épaisses sont très très tendres.

Même Hollywood n'y résiste pas : on vous racontera, preuve à l'appui, la visite de Nicole Kidman ou du réalisateur Joel Silver qui s'échappa du tournage de *Matrix* pour dîner ici.

PRENDRE UN VERRE

B BAR *Lounge*

041 2406842 ; www.bauervenezia.com ; Campo San Moisè 1459 ; 18h-1h mar-dim ; San Marco, Vallaresso

Jouez les stars, confortablement lové dans une banquette du B Bar, serti de mosaïques d'or. Les cocktails sexy sont servis avec des amuse-bouches, et le pianiste se fait discret. Une carte entière est consacrée aux variations sur le thème du *spritz* (un cocktail à base de *prosecco*, d'eau gazeuse et de bitter), un classique vénitien. Le Rialto est par exemple un mélange doux-amer de *prosecco*, de gin et de grenadine.

BACARO *Lounge*

041 2960687 ; Salizada San Moisè 1345 ; 9h-2h ; San Marco, Vallaresso

Bacaro est aussi beau que bien fréquenté : la mosaïque du bar ovale est du meilleur effet, et la clientèle ne manque pas de conversation, en particulier lorsque le public afflue après les soirées littéraires organisées par la librairie Mondadori, juste à côté (p. 51).

BAR ALL'ANGOLO *Bar*

041 5220710 ; Campo Santo Stefano 3463 ; 8h-21h dim-ven ; Accademia

Cet attachant bar de quartier expose d'alléchants *tramezzini* (sandwichs) dans une vitrine et accueille ses clients dans un bel espace orange d'où l'on peut tranquillement observer la place. Vers 18h30, à l'heure du *spritz*, les Vénitiens investissent les lieux.

HARRY'S BAR *Lounge*

041 5285777 ; Calle Vallaresso 1323 ; 12h-23h ; San Marco, Vallaresso

Le Harry's a vu passer tous les grands talents américains du XXe siècle : Charlie Chaplin, Ernest Hemingway, Truman Capote et Orson Welles, notamment. Aussi, ce bar a la réputation de mettre du génie dans ses cocktails… Ici, toutes les excuses sont bonnes pour boire un verre. Les Bellini à la pêche et au *prosecco* (18 €), créés au Harry's même, sont indéniablement bons, et les repas comptent parmi les plus chers de Venise, et donc d'Europe (Harry's consent une réduction de 20% aux clients américains dans le contexte de la crise immobilière). Mais c'est surtout la simplicité du lieu qui surprend, avec ses chaises de bistrot, ses petites tables serrées et son service sans chichis. Harry's Bar est devenu un empire avec, aujourd'hui, des succursales à Londres et à Hong-Kong, ainsi qu'une gamme de pâtes vendues sous la marque Cipriani mais… rien ne vaut l'original !

TORINO@NOTTE *Bar*

041 5223914 ; Campo San Luca 4592 ; 20h-1h mar-sam ; Rialto

Éclectique et tapageur, ce bar ajoute une note de surprise à la vie nocturne dans le quartier si rangé de San Marco. Chaque soir, des verres (2 à 4 €) sont servis sur fond de concerts spontanés d'étudiants ou de disques de reggae maniés par un copain du barman.

VINO VINO *Bar à vin*

041 2417688 ; Calle della Veste 2007a ; 12h30-15h et 19h30-23h mer-lun ; Santa Maria del Giglio

Pour vous y retrouver dans la carte des vins du Vino Vino, demandez donc conseil au serveur ou à votre voisin de table : ici, inutile de faire des manières. Le menu comprend une vaste sélection de classiques vénitiens comme la salade de poulpes et les *sarde in saor* (des sardines cuites dans une marinade aux oignons), ainsi que des plats plus sophistiqués à base de pintade et de cochon de lait. C'est cependant pour son choix de 300 vins que cette adresse est devenue une institution.

SORTIR

AURORA CAFFÈ

Événements culturels, concerts

041 5286405 ; www.aurora.st ; Piazza San Marco 48-50 ; 12h-2h mer-dim ; San Marco, Vallaresso

Indifférenciable des autres cafés de la place Saint-Marc le jour, abreuvant les hordes de touristes de glaces et de cappuccinos hors de prix, l'Aurora se transforme dès 20h en audacieuse petite salle de spectacles – seule source d'animation de la place. Le dimanche soir, des foules le prennent d'assaut, attirées par les musiciens locaux, les expositions d'artistes en herbe et les boissons à 2 € entre 21h et 22h. Le jeudi soir, photographies et vidéos sont à l'honneur et toutes les dreadlocks de Venise s'y retrouvent alors pour draguer et philosopher.

CAFFÈ FLORIAN *Concerts*

041 5205641 ; Piazza San Marco 56-59 ; 10h-23h mar-jeu ; San Marco, Vallaresso

Les notes s'échappant du Caffè Florian, qui possède son propre orchestre, font partie intégrante de la vie à Venise. Le Florian, fidèle à des rituels institués en 1720 – serveurs d'une politesse mielleuse, chocolat chaud onctueux sur son plateau d'argent, amoureux blottis sur les confortables banquettes au petit déjeuner –, a adopté un répertoire des années 1950 mêlant jazz et musique latino. Avec un chocolat à 10 € (6 € de supplément en terrasse), mieux vaut attendre le meilleur moment : au coucher du soleil, la lumière embrase les mosaïques de la basilique Saint-Marc. Tout fait du Florian une expérience inoubliable, exception faite des toilettes, étriquées et grisâtres. Les usagers sont censés laisser un pourboire à la *signora* revêche préposée aux serviettes.

CENTRALE *Concerts, DJ*

041 2960664 ; www.centrale-lounge.com ; Piscina Frezzeria 1659b ; 18h30-2h lun-sam ; San Marco, Vallaresso

Si le service de gardes du corps, proposé en option, est un tantinet excessif, il illustre l'ambiance nocturne et discrètement branchée du Centrale, lieu de rendez-vous de la jet-set à Venise. Entre les murs en brique nue, les chandeliers de Murano éclairent parfois Juliette Binoche, Spike Lee, Christina Aguilera et des magnats italiens. Les prix sont élevés, mais les noctambules apprécient les boissons, les en-cas à toute heure, les DJ et les concerts occasionnels.

MUSICA A PALAZZO *Opéra*

0340 9717272 ; www.musicapalazzo.com ; Palazzo Barbarigo-Minotto, Fondamenta Duodo o Barbarigo 2504 ; billet 45 € ; ouverture des portes à 20h ; Santa Maria del Giglio

La terrasse du Caffè Florian : le lieu où il faut être...

Dans un cadre intimiste, sous des plafonds peints par Tiepolo, le spectacle d'une heure et demie tient plus de la fête décadente baroque que de l'opéra.
Les 70 convives, munis de verres de vin, suivent les chanteurs d'opéra et l'orchestre de la salle de réception au salon jusqu'aux quartiers privés. En vêtements contemporains, les chanteurs n'ont rien d'apprêté ou d'anachronique. Ils transmettent même avec ferveur leur passion de Verdi et de Rossini.

LA FENICE

Opéra, musique classique

☎ 041 786611 ; www.teatrolafenice.it ; Campo San Fantin 1965 ; prix des billets variables ; variables ; Santa Maria del Giglio

Depuis des siècles, malgré deux incendies et mille intrigues de coulisses, c'est sur cette scène minuscule que se fait et se défait la réputation des artistes d'opéra. Détruit dans les flammes en 1996, la prestigieuse Fenice ("Phénix") s'est relevée de ses cendres, fidèle à sa vocation de scène baroque depuis 1836. La scène est entourée de loges couvertes de dorures et ornées d'angelots brandissant des instruments de musique.
Les **visites** (☎ 041 2424 ; adulte/étudiant 7/5 €) se réservent par téléphone. Le meilleur moyen de découvrir La Fenice est toutefois d'assister à un spectacle avec les *loggione*, ces mordus d'opéra occupant les sièges les moins chers du poulailler et jugeant de la qualité du spectacle. Entre les représentations et après la fin de la saison, des symphonies et des concerts de musique de chambre attirent les foules.

>CASTELLO

Marins, saints et artistes ont fait de Castello ce qu'il est aujourd'hui : un quartier connu pour ses bars-restaurants, ses icônes éthérées et la Biennale. Entre les églises couvertes d'or se dressent de luxueux hôtels historiques donnant sur le Grand Canal, ainsi que les pavillons de la Biennale construits dans une myriade de styles architecturaux modernes. Les communautés grecque et arménienne de Venise vivaient jadis dans ces ruelles tortueuses, aux côtés des marchands turcs et syriens. Le quartier a conservé un esprit cosmopolite, que l'on retrouve dans les restaurants – et les collections d'icônes. Castello a aussi su cultiver un raffinement extrême sans sacrifier son tempérament un peu rustre : les chantiers navals de l'Arsenal employaient autrefois 5 000 artisans. C'est là que naquit la flotte qui étendit l'empire vénitien jusqu'à Constantinople. Le Museo Storico Navale et les discussions de comptoir à l'apéritif témoignent encore de cette glorieuse époque.

CASTELLO

VOIR

Pavillons de la Biennale	1	G6
Fondazione Querini Stampalia	2	B2
Museo della Fondazione Querini Stampalia	(voir 2)	
Museo delle Icone	3	C3
Museo Storico Navale	4	D4
Ospedaletto	5	B2
San Zaccaria	6	B3
Sotoportego dei Preti	7	C3
Zanipolo	8	B1

SHOPPING

Arte Vetro Murano	9	B3
Banco 10	10	C3
Giovanna Zanella	11	A2
Metropoli Scarpe	12	B2
Parole e Musica	13	A2
Schegge	14	B2
Sigfrido Cipolato	15	A3

SE RESTAURER

Aciugheta	16	B3
Al Covo	17	C3
Conca d'Oro	18	B3
Enoteca Mascareta	19	B2
Il Ridotto	20	B3
Osteria di Santa Marina	21	A2
Taverna San Lio	22	A2

PRENDRE UN VERRE

Florian Arte Caffè	(voir 2)	
Obillok	23	B1
Paradiso	24	F6
Taverna l'Olandese Volante	25	A2

SORTIR

Jazz in Venice	26	B3

Voir la carte p. 60-61

VOIR

PAVILLONS DE LA BIENNALE

www.labiennale.org ; Giardini

Entre la Biennale consacrée à l'art (les années impaires) et la Biennale d'architecture (les années paires), les jardins publics et les vignes couvrant le romantique pavillon britannique font le bonheur des amoureux et des pique-niqueurs. Les pavillons couvrent presque tous les grands mouvements modernes et les matériaux, du chalet en bois des années 1970 pour le Canada au pavillon coréen occupant une ancienne usine électrique. L'extérieur du pavillon des Livres, conçu par James Stirling en 1991, est intéressant, celui de l'Italie se distingue par son marbre d'un blanc aveuglant et son influence fasciste. L'édifice de Peter Cox pour l'Australie (1988), initialement prévu pour être temporaire, ressemble à un camping-car. Le pavillon vénézuélien, de Carlo Scarpa (1954), est le plus remarquable. Mêlant habilement béton brut et verre, il n'a rien perdu de sa modernité. Voir aussi p. 17 et p. 29.

FONDAZIONE QUERINI STAMPALIA

041 2711411 ; www.querini stampalia.it ; Ponte Querini 5252 ; adulte/étudiant 8/6 € ; 10h-20h mar-jeu, 10h-22h ven et sam, 10h-19h dim ; San Zaccaria

À la croisée du moderne et du baroque, ce palais du XVIe siècle fut remis au goût du jour par Carlo Scarpa dans les années 1940. Un café (p. 68) et une librairie, conçus par Mario Botta dans les années 1990, furent ensuite ajoutés. Les étages intermédiaires conservent le charme des siècles passés : les murs tapissés de soie mettent en valeur les porcelaines. Une salle entière est entièrement consacrée à Giovanni Bellini. Le système de canalisation de Scarpa, emprunté aux Arabes, traverse le rez-de-chaussée et alimente la fontaine dans la cour. Les expositions d'art moderne, au dernier étage, varient en qualité. Ne manquez pas de boire un café dans le jardin. Les vendredi et samedi, des concerts sont organisés dans la salle de musique baroque.

MUSEO DELLE ICONE

041 5226581 ; www.istitutoellenico.org ; Campiello dei Greci 3412 ; adulte/étudiant 4/2 € ; 9h-12h30 et 13h30-16h30 lun-sam, 9h-17h dim ; San Zaccaria

Galerie de couleurs vives et de regards perçants, les icônes grecques qui donnent son nom au musée furent réalisées en Italie du XIVe au XVIIe siècle. *San Giovanni Climaco* dépeint avec expressivité l'auteur d'un ouvrage spirituel grec distrait de sa tâche par la vision des âmes précipitées en Enfer. L'édifice même est un témoignage de la tolérance religieuse qui régnait alors dans

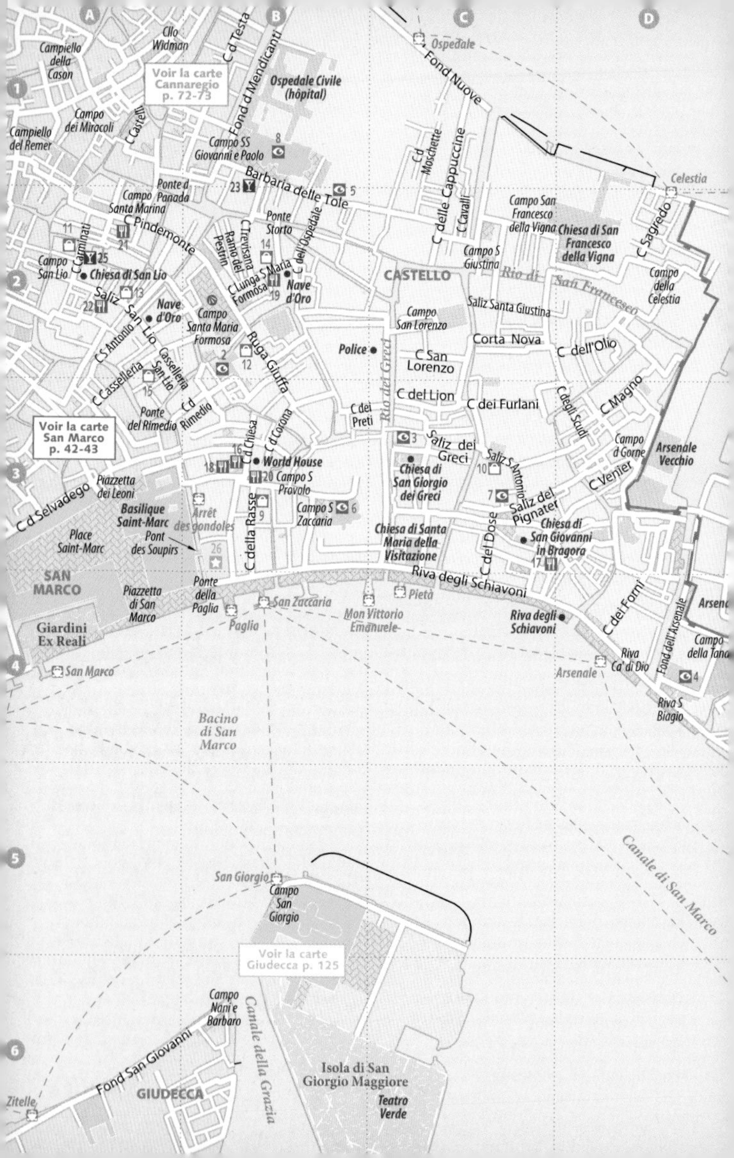
A
B
C
D
1
2
3
4
5
6
Campiello della Cason
Cllo Widman
C d Testa
Voir la carte Cannaregio p. 72-73
Fond d Mendicanti
Ospedale Civile (hôpital)
Ospedale
Fond Nuove
Campo dei Miracoli
C Castelli
Campiello del Remer
Campo SS Giovanni e Paolo
C d Moschette
C delle Cappuccine
C Cavalli
Barbaria delle Tole
Ponte d Panada
Campo Santa Marina
C Pindemonte
Ponte Storto
C Trevisana
Ramo del Pestrin
C dell'Ospedale
Campo San Francesco della Vigna
Chiesa di San Francesco della Vigna
Celestia
C Sagredo
Campo San Lio
C Carminati
Chiesa di San Lio
C Lunga S Maria Formosa
Nave d'Oro
CASTELLO
Campo S Giustina
Rio di San Francesco
Campo della Celestia
Saliz San Lio
Campo Santa Maria Formosa
Saliz Santa Giustina
Campo San Lorenzo
Corta Nova
C dell'Olio
C S Antonio
Ruga Giuffa
Police
C San Lorenzo
C Casselleria
Casselleria San Lio
Rio dei Greci
C del Lion
C dei Furlani
C degli Scudi
C Magno
Ponte del Rimedio
C d Rimedio
C dei Preti
Voir la carte San Marco p. 42-43
C d Chiesa
C d Corona
Saliz dei Greci
Campo d Gorne
Arsenale Vecchio
World House
Campo S Provolo
Chiesa di San Giorgio dei Greci
Saliz S Antonio
C Venier
Piazzetta dei Leoni
C d Selvadego
Basilique Saint-Marc
Arrêt des gondoles
C della Rasse
Campo S Zaccaria
Saliz del Pignater
Chiesa di Santa Maria della Visitazione
Chiesa di San Giovanni in Bragora
Place Saint-Marc
Pont des Soupirs
C del Dose
SAN MARCO
Piazzetta di San Marco
Ponte della Paglia
Riva degli Schiavoni
San Zaccaria
Pietà
Mon Vittorio Emanuele
Riva degli Schiavoni
C dei Forni
Fond dell'Arsenale
Arsen
Giardini Ex Reali
Paglia
Riva Ca' di Dio
Campo della Tana
San Marco
Arsenale
Riva S Biagio
Bacino di San Marco
Canale di San Marco
San Giorgio
Campo San Giorgio
Voir la carte Giudecca p. 125
Campo Nani e Barbaro
Canale della Grazia
Fond San Giovanni
Isola di San Giorgio Maggiore
Teatro Verde
GIUDECCA
Zitelle

E
F
G
H
1
2
3
4
5
6
0
200 m
Bacini di Carenaggio
Darsena Grande
Arsenale Nuovo
Rio delle Vergini
Ponte San Daniele
Campo San Pietro
C Larga San Pietro
Cattedrale di San Pietro di Castello
San Pietro
LA TANA
Campo di Ruga
Isola de San Pietro
Corte del Bianco
Fond della Tana
Corte Nova
Campiello d Pomeri
Rio di Quintavalle
Fond di Sant'Anna
Via Giuseppe Garibaldi
C San Domenico
Viale Garibaldi
C Stretta Saresin
C delle Ancore
C Correra
Canale di San Pietro
Seco Marina
Fond San Giuseppe
Riva dei Sette Martiri
SANT'ELENA
Rio Terà San Giuseppe
Paludo di S Antonio
Darsena di Sant'Elena
Giardini
Viale Trento
Giardini Pubblici
Viale Trieste
Viale Quattro Novembre
24
Biennale
1
Campo del Grappa
Rio dei Giardini
Riva dei Partigiani
Isola di Sant'Elena
Parco delle Rimembranze
C Gen Chinotto

la cité : siège de l'Église orthodoxe grecque de Venise, il fut dessiné par Baldassare Longhena, architecte officiel de la ville, et servit d'hôpital pour les pauvres jusqu'au XXe siècle.

MUSEO STORICO NAVALE

☎ 041 5200276 ; Fondamenta dell'Arsenale 2148 ; entrée 3 € ; 8h45-13h30 lun-ven, 8h45-13h sam ; Arsenale

Ce musée évoque l'étonnante histoire de l'empire maritime de Venise. Un dédale de 42 salles, réparties sur quatre étages, présente de manière détaillée mais désordonnée des maquettes et de redoutables armes. Ces dernières furent rarement utilisées, mais on les conservait dans l'Arsenal, au cas où… La plus belle pièce est le navire de parade des doges (*bucintoro*), réservé aux cérémonies comme celle du Sposalizio del Mar (Épousailles de la mer ; p. 28). La gondole particulière de Peggy Guggenheim n'est pas si mal non plus. Les paquebots océaniques et les navires de guerre de la Seconde Guerre mondiale sont fascinants.

Les dorures du somptueux *bucintoro* (navire de parade des doges) au Museo Storico Navale

LES ORCHESTRES D'ORPHELINS DE VENISE

À Venise, la musique sauvait les orphelins – qui permirent à leur tour à la cité de survivre. On dirait du Dickens ? C'est pourtant la vérité historique.

Entre le XVIe et le XVIIIe siècle, beaucoup de petits Vénitiens devinrent orphelins. Les épidémies de peste et les remèdes de l'époque décimèrent en effet la population adulte. Par ailleurs, la prostitution était alors très développée, de scandaleuses fêtes masquées étaient organisées dans les couvents des îles, et les Vénitiennes prirent l'habitude de s'attacher un *cicisbeo* (jeune servant) quand leurs maris étaient en mer... L'État recueillait et formait les orphelines de la ville, qui, à leur tour, gagnaient leur vie dans les orchestres et les chœurs. Le Tout-Venise accourait à ces galas de charité avant l'heure, sous la baguette de maîtres de l'envergure de Vivaldi et de Cimarosa – ce dernier fut brièvement le chef d'orchestre de l'**Ospedaletto** (ci-dessous). Les dignitaires qui y assistaient étaient invités à se montrer généreux : les musiciens comptaient peut-être quelque enfant naturel...

Ces formations musicales finirent par jouir d'une réputation à l'étranger alors que le déclin commercial de Venise s'amorçait : elles contribuèrent ainsi à faire de la cité une capitale européenne du divertissement. Si les orphelins ont disparu des orchestres vénitiens, la musique baroque est toujours interprétée. Pour plus de détails, voir p. 157.

OSPEDALETTO

041 5322920 ; Barbaria delle Tole 6691 ; entrée 3 € ; 15h30-18h30 ven et sam avr-oct, 15h-18h ven et sam nov-mars ; Ospedale

Les tentatives de Rome d'étouffer la mélomanie des Vénitiens échouèrent lamentablement... La musique est aujourd'hui encore omniprésente dans la chapelle et la salle de musique de cet hospice et orphelinat, construit en 1664 par Longhena. La chapelle, où des anges jouent de la trompette et dont l'orgue majestueux se reflète dans le plafond, est un enchantement. Jacopo Guarana réalisa les fresques qui couvrent la Sala da Musica, où se produisaient les orphelins (voir l'encadré ci-dessus).

SAN ZACCARIA

041 5221257 ; Campo San Zaccaria 4693 ; Cappella di Sant'Atanasio 1 € ; 10h-12h et 16h-18h lun-sam, 16h-18h dim ; San Zaccaria

Si les murs de cet ancien couvent pouvaient parler, ils raconteraient la vie de leurs pensionnaires, filles de la noblesse vénitienne, entre prières, concerts et scandaleux bals masqués. Remarquez la richesse artistique de l'édifice : le sol en mosaïques romaines et byzantines du XIIe siècle, le magnifique polyptyque doré dans la Capella d'Oro, la Vierge mélancolique de Bellini, et la fuite en Égypte, dans laquelle Giambattista Tiepolo plaça un navire vénitien.
Ne manquez pas le portrait,

Un des trésors artistiques de San Zaccaria (p. 63)

par Antonio Vivarini (1443), de sainte Sabine, sereine malgré l'essaim d'anges bourdonnant autour d'elle comme des moustiques.

SOTOPORTEGO DEI PRETI

Près de la Salizada dell Pignater ; Arsenale

Descendez les marches, franchissez l'arche du passage (*sotoportego*) et repérez la pierre rouge en forme de cœur de la taille d'une main : à en croire la légende, les couples qui la touchent ensemble resteront amoureux pour toujours. Si vous n'en êtes pas encore là, sachez que l'endroit est idéal pour s'embrasser à l'abri des regards.

ZANIPOLO

Basilica dei Santi Giovanni e Paolo ; ☎ 041 5235913 ; Campo Santi Giovanni e Paolo 6363 ; entrée 2,50 € ; 9h30-18h lun-sam, 13h-18h dim ; Ospedale

La Basilica dei Santi Giovanni e Paolo, appelée San Zanipolo en vénitien, est une vaste église gothique. Sa construction débuta en 1333 et l'édifice est un bel exemple des grands styles architecturaux ayant influencé Venise. Elle conserve plusieurs chefs-d'œuvre et les tombeaux de 25 doges, exécutés par des artistes aussi réputés que Nicolo Pisano et Tullio Lombardo. À droite, la première chapelle abrite le relief baroque *Jésus navigateur*, de Giambattista Lorenzetti, où le Christ observe la lune et repère les étoiles comme un capitaine vénitien. Tout aussi splendide, le *San Giuseppe* de Guido Reni montre saint Joseph échangeant des regards adorateurs avec Jésus nourrisson. L'église étant directement reliée au principal hôpital de Venise, l'Ospedale Civile, l'un des autels les plus sollicités est celui du Vénitien James Salomoni, protecteur des patients souffrant de cancer. L'œuvre la plus spectaculaire est le plafond peint par Véronèse, où la Vierge, couronnée par des chérubins, gravit un escalier entourée d'une ronde d'anges.

SHOPPING

ARTE VETRO MURANO

Verrerie

☎ 041 5237514 ; www.artevetromurano.com ; Calle della Rasse 4613 ; 10h-13h et 15h-18h lun-sam ; San Zaccaria
Les nouveaux verriers de Murano renouvellent le genre : les colliers de perles plates et orange de Davide Penso évoquent des gouttes de lave en fusion, et les pendants d'oreilles d'Artematte, délibérément dépareillés, feront de vous une star aux vernissages de la Biennale.

BANCO 10

Mode, commerce équitable

☎ 041 5221439 ; Salizada Sant' Antonio 3478a ; 15h30-18h lun, 10h-13h et 15h30-18h mar-sam ; San Zaccaria
Les jupes tourbillonnantes, les sacs à main en tapisserie, les vestes raffinées et les robes de diva présentées dans cette boutique à but non lucratif sont réalisés par les détenues d'une prison pour femmes de la Giudecca. Ce programme de formation professionnelle encourage leur réinsertion après leur libération. Les soies, velours et tapisseries sont de Fortuny et Bevilacqua, les modèles sont conçus par les prisonnières et la boutique est tenue par des bénévoles. Ces créations ont même habillé des divas de La Fenice.

GIOVANNA ZANELLA

Chaussures

☎ 041 5235500 ; Calle Carminati 5641 ; 9h30-13h et 15h-19h ; Rialto
Tissées, sculptées et découpées en formes d'oiseaux, les chaussures de Zanella ne devraient fouler que des tapis rouges. Fabriquées sur mesure, les créations de cette marque vénitienne s'adaptent à toutes les exigences de couleur, de taille et de forme – moyennant finance, bien entendu. Aucun risque de retrouver vos escarpins aux pieds d'Angelina Jolie durant la Mostra…

METROPOLI SCARPE

Chaussures

☎ 041 5235588 ; Calle Scaletta 4946 ; 10h-18h30 lun-sam ; Rialto
Les magasins de chaussures de créateurs sont rares à Venise. Les modèles vendus ici possèdent des couleurs vives et des formes audacieuses : chaussures plates en cuir brillant jaune vif à large boucle, ou bottines de boxe rose pâle. Avec des prix oscillant entre 39 et 59 €, elles sont à la portée de toutes les bourses.

PAROLE E MUSICA *Disques*

☎ 041 5235010 ; www.intermusic.biz ; Salizada San Lio 5673 ; 10h-19h30 lun-sam, 11h-19h30 dim ; Rialto
Spécialisée dans la pop, le classique et l'opéra italiens, cette boutique permet de se constituer une belle

petite collection de musique vénitienne, mais aussi de dénicher des disques d'artistes européens moins connus.

SCHEGGE *Masques*

041 5225789 ; Calle Lunga Santa Maria Formosa 6185 ; 10h-21h lun-sam ; Rialto

Les masques de carnaval vendus dans cette boutique-atelier s'inspirent de différents courants artistiques, de l'architecture gothique aux tableaux d'Amedeo Modigliani… Tard dans la nuit, on peut parfois voir la mère et la fille travaillant ensemble, maniant de petits pinceaux et ornant les masques de minuscules boucles baroques.

Une éblouissante collection de masques de carnaval

SIGFRIDO CIPOLATO *Bijoux*

041 5228437 ; San Lio Caselleria 5336 ; 10h-13h et 15h-19h lun-sam ; San Zaccaria

La vitrine, véritable boîte à bijoux, semble tout droit sortie d'un tableau baroque : boucles d'oreilles fermées par de minuscules crânes en or, bagues serties d'émeraudes dans le style Fabergé, perles aux formes étranges et diamants… Leur créateur les fabrique sur place : le maître bijoutier Sigfridio use de techniques héritées de générations de joailliers vénitiens.

SE RESTAURER

ACIUGHETA *Cicheti* €€

041 5224292 ; Campo Santi Filippo e Giacomo 4357 ; 12h-15h et 18h-24h lun-sam ; San Zaccaria

Plutôt qu'un plat unique, optez pour un choix de minipizzas, de boulettes de viande, de *crostini* et autres *cicheti* (tapas vénitiennes), arrosés d'un bon verre de vin. Accoudez-vous au bar en marbre ou choisissez une table (à condition d'arriver très tôt ou très tard) dans la belle salle du fond, généralement prise d'assaut par les habitués.

AL COVO

Nouvelle cuisine vénitienne €€€

041 5223812 ; www.ristorantealcovo.com ; Campiello della Pescaria 3968 ; 19h-23h ven-mar ; Arsenale

Ce restaurant, avec ses poutres apparentes, ses murs en brique nue et sa clientèle d'indéboulonnables habitués, a certes l'air traditionnel. Pourtant, ici, on revisite les classiques de la cuisine vénitienne. La salade *caprese* au basilic et à la *mozzarella di bufala* est servie avec une succulente gelée de tomates cerises. Les pâtes à l'encre de seiche dissimulent des palourdes et des fleurs de courgette, et cinq sauces différentes relèvent le thon de l'Adriatique. Les prix élevés s'expliquent par la qualité des ingrédients, provenant tous des environs de la lagune (remarquez la fraîcheur du mélange de fruits de mer en *antipasti*). La carte des vins est interminable et compte des bouteilles à des prix raisonnables.

CONCA D'ORO *Pizza* €€

☎ 041 5229293 ; Campo Santi Fillipo e Giacomo 4338 ; 12h-15h30 et 18h30-22h30 ; San Zaccaria

La pizza n'est pas une spécialité vénitienne – comme vous l'aurez sans doute deviné en goûtant aux pizzas cartonneuses vendues aux touristes autour de la place Saint-Marc. Cet établissement, installé derrière Saint-Marc depuis 1960, fait exception. On y concocte de bonnes pizzas à pâte fine garnies d'ingrédients originaux. Attention, le service est un peu lent. Alors le mieux est de choisir une table en terrasse, sur la place, et de prendre son temps : profitez donc du soleil et du ska italien diffusé à plein volume.

ENOTECA MASCARETA

Cicheti €€

☎ 041 5230744 ; Calle Lunga Santa Maria Formosa 5183 ; 19h-2h ven-mar ; San Zaccaria

Mauro, qui dirige l'Enoteca Mascareta, est un pur produit vénitien. Son opinion sur le vin et les accords de plats sont aussi tranchés que drôles. Les entrées (*primi*) et les plats sont chers, mais le menu *cicheti*, en début de soirée, et les assiettes apéritives de viande et de fromages sont très copieuses. Mauro est intarissable quand il s'agit de sélectionner un vin dans sa collection de 100 crus (comptez de 2 à 3,50 € le verre). Par beau temps, la terrasse du bar est le lieu idéal pour grignoter des *cicheti* et savourer une *ombra* (verre) ou deux de vin bio pour moins de 10 €.

IL RIDOTTO

Nouvelle cuisine vénitienne €€€

☎ 041 5208280 ; www.ilridotto.com ; Campo Santi Filippo e Giacomo 4509 ; 19h-23h jeu, 12h-15h et 19h-23h ven-mar ; San Zaccaria

De la cuisine (de la taille d'un placard) ouverte sort un flot d'appétissantes petites assiettes : une louche de gâteau de pain (plat salé toscan), une superbe mosaïque de fruits de mer vénitiens ou une délicieuse

Vin et pizza : le repas idéal entre deux visites

panna cotta. Aux plats principaux, moins convaincants et plus chers, préférez un assortiment d'*antipasti* et de *primi*. Il Ridotto ne compte que cinq tables serrées. Le service n'est pas très aimable, mais le chef, omniprésent, est aussi chaleureux qu'attentif, et le décor, romantique.

OSTERIA DI SANTA MARINA

Nouvelle cuisine vénitienne €€€

041 5285239 ; Campo Santa Marina 5911 ; 18h-23h lun, 12h-15h et 18h-23h mar-sam ; Rialto

Ne vous fiez pas aux apparences : ce restaurant ressemble à une simple pizzeria mais… tout son intérêt est dans l'assiette. Compte tenu des prix à la carte, mieux vaut opter pour le menu à 55 €. Pour 75 €, les plus intrépides choisiront le menu dégustation dont chaque plat est une variation sur le thème d'un classique vénitien : crevette dans son nid de poivrons rouges, raviolis noirs à l'encre de seiche fourrés au bar (*branzino*), artichaut et crabe aux courgettes et au *saor* (marinade d'oignons). Les desserts sont divins, en particulier les glaces faites maison et le gâteau chaud au chocolat.

TAVERNA SAN LIO

Nouvelle cuisine vénitienne €€

041 2770669 ; www.tavernasanlio.com ; Salizada San Lio 5547 ; 19h-23h mar-sam ; Rialto

Cet établissement moderne a su garder un charme tout vénitien. Ici, les fruits de mer sont à l'honneur : saint-jacques au thym, poivre rose et safran, raviolis de daurade maison et son pesto de menthe, servis avec un verre de pinot *grigio*. Penchés sur les tables en bois, les convives prennent des airs de conspirateurs, éclairés par de drôles de lampes, et les immenses fenêtres ouvrent sur la rue et son incessant défilé de mode.

PRENDRE UN VERRE

FLORIAN ARTE CAFFÈ *Café*

041 5289758 ; Fondazione Querini Stampalia, Ponte Querini 5252 ; 10h-19h mar-jeu, 10h-21h ven et sam, 10h-18h dim ; San Zaccaria

Dans cet élégant café conçu par Mario Botta, l'expresso est relevé d'une dose d'inspiration architecturale : murs blancs bordés de noir, sols en béton ciré et séries de motifs rectangulaires. Par temps pluvieux, vous pourrez vous réchauffer ici en savourant un chocolat chaud. À l'extérieur, l'ingénieux système d'irrigation de Carlo Scarpa, qui s'est inspiré des traditions orientales, ajoutera une touche exotique à votre verre de *spritz* (cocktail à base de *prosecco*), dégusté dans le jardin ensoleillé.

OBILLOK *Café-bar*

041 5284639 ; www.obillok.it ; Campo Santi Giovanni e Paolo 6331 ; 11h-20h ; Ospedale

Un ravissant café, très vénitien… Les murs sont ornés d'immenses décorations baroques, les fauteuils d'un rouge Titien et, au bar, on sert la bière dans des verres penchés. Les *macchiatone* (café "taché" de lait) comptent parmi les meilleurs de Venise. Le *spritz* et le jazz attirent les foules lors de la *happy hour*.

PARADISO *Café-bar*

335 6223079 ; Giardini Pubblici 1260 ; 9h-19h ; Biennale

Même entre les Biennales, jeunes artistes, conservateurs de musées et architectes renommés se retrouvent sur les canapés branchés et sous les parasols du Paradiso. Café et cocktails sont moins chers que ne le laissent penser les meubles de créateurs, la proximité de l'eau et l'absence de concurrence : depuis le site de la Biennale, le Paradiso est pourtant le seul café à portée d'escarpins.

TAVERNA L'OLANDESE VOLANTE *Pub*

041 5289349 ; Salizada San Lio 5658 ; 10h-12h et 17h-12h30 lun-sam, 10h-14h dim ; Rialto

L'atmosphère bruyante et la bière bon marché de cet "Hollandais volant" attirent les étudiants étrangers et les excentriques des environs. Les soirs d'été, les clients rentrent chez eux aphones.

SORTIR

JAZZ IN VENICE *Jazz*

041 984252 ; www.jazzinvenice.it ; Prigioni Nuove, Ponte dei Sospiri ; adulte/étudiant 25/20 € ; concerts 18h et 21h ; San Zaccaria

Interprété dans une ancienne cellule de prison, *All Blues*, de Miles Davis, prend un tout autre sens… Les prisonniers autrefois mis aux fers étaient sans doute insensibles à l'excellente acoustique, mais les mélomanes apprécieront les plafonds voûtés, où se répercutent les basses. Les sombres solos de piano y résonnent indéniablement mieux que dans un bar.

CANNAREGIO

On aime généralement Venise pour la beauté de ses monuments, mais, en visitant Cannaregio, on découvre que la ville ne manque pas non plus d'authenticité. Cannaregio emprunte aux quartiers qui l'encadrent : joyeux comme San Marco, aussi discret que Santa Croce, populaire comme Castello et religieux comme San Polo. Si les touristes parcourent d'un pas pressé la Strada Nova entre la gare et le Rialto, il suffit de s'éloigner de quelques rues pour que l'écho des pas résonne dans la Fondamenta della Misericordia, ignorée des vendeurs de T-shirts. Le Ghetto (p. 19) témoigne de la tolérance religieuse dont ont fait preuve les habitants de Cannaregio. Ici, les synagogues construites en hauteur côtoient les églises gothiques. Le soir, les étudiants de l'université Ca' Foscari et les voyageurs s'attardent dans les *osterie* (bars-restaurants) locales pour boire un verre et refaire le monde. Le quartier compte d'ailleurs les adresses les moins connues et… les moins chères de Venise.

CANNAREGIO

VOIR

Ca' d'Oro 1 E5
Campo del Ghetto Nuovo 2 C3
Chiesa della Madonna dell'Orto 3 E3
Chiesa di Santa Maria dei Miracoli 4 G6
Museo Ebraico di Venezia 5 C3
Schola Tedesca .... (voir 5)

SHOPPING

Luna 6 F6
Solaris 7 E4

SE RESTAURER

Al Cicheti 8 B5
Al Fontego dei Pescatori 9 E5
Al Ponte 10 G6
Alla Vedova 11 E5
Anice Stellato 12 D3
Antica Cantina 13 G6
Bea Vita 14 C3
Da Alberto 15 G6
I Quattro Rusteghi 16 C3
La Cantina 17 E5
Vini da Gigio 18 E5

PRENDRE UN VERRE

Al Timon 19 C3
Osteria agli Ormesini 20 D3
Un Mondo di Vino 21 G6

SORTIR

Bottega del Tintoretto 22 E3
Casino di Venezia 23 D5
Cinema Giorgione Movie d'Essai 24 F5
Paradiso Perduto 25 E4

Voir la carte p. 72-73

VOIR

CA' D'ORO

041 5222349 ; Calle di Ca' d'Oro 3932 ; www.cadoro.org ; adulte/étudiant UE moins de 26 ans/citoyen UE moins de 18 ans et plus de 65 ans 5/2,50 €/gratuit ; 8h15-14h lun, 8h15-19h15 mar-dim ; Ca' d'Oro

Ce palais, avec son balcon gothique donnant sur le Grand Canal et ses mosaïques en marbre, est un chef-d'œuvre du genre, même si les marbres polychromes et les décorations en or qui lui avaient valu son nom ("maison d'or") ont depuis longtemps disparu… En 1916, le baron Franchetti fit don de la Ca' d'Oro ainsi que de sa superbe collection d'art à la ville. Le musée conserve ainsi un beau retable d'Andrea Mantegna, où saint Sébastien sanguinolent est transpercé de flèches, une tendre *Vierge à l'Enfant* de Pietro Lombardo, taillée dans du marbre étincelant de Carrare, et un nu délavé d'un fragment de fresque de Giorgione, qui n'a rien perdu de sa sensualité.

CAMPO DEL GHETTO NUOVO

www.ghetto.it ; San Marcuola

La place, par endroits défoncée, où jouent aujourd'hui des enfants, était jadis le centre officieux du commerce vénitien. Si les juifs furent confinés à l'origine à la Giudecca, les dirigeants de Venise comprirent vite l'intérêt qu'ils avaient à conserver sous la main ces banquiers, marchands de textiles et artisans. C'est ainsi qu'elle autorisa en 1385 les Arméniens, les juifs,

Le Campo del Ghetto Nuovo, un endroit joliment ensoleillé pour méditer sur les moments sombres de l'Histoire

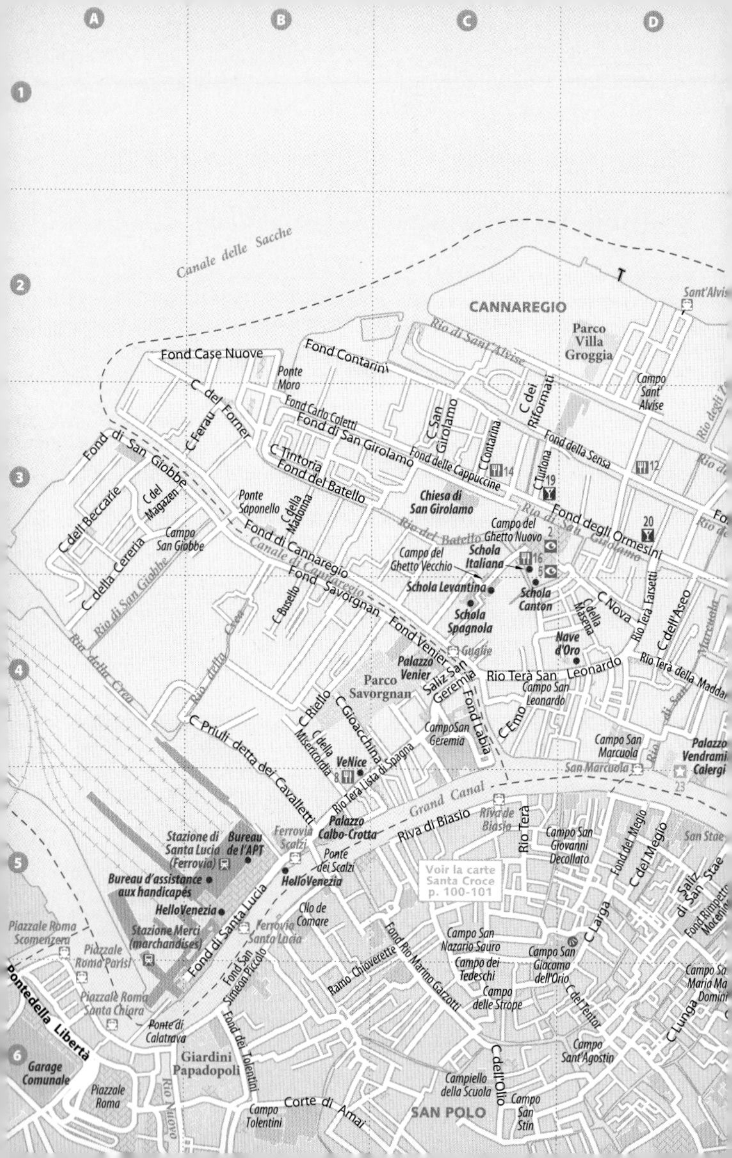
A
B
C
D
1
2
3
4
5
6
Canale delle Sacche
CANNAREGIO
Parco Villa Groggia
Sant'Alvise
Campo Sant'Alvise
Rio di Sant'Alvise
Fond Case Nuove
Fond Contarini
Ponte Moro
C del Forner
C Ferau
Fond Carlo Coletti
Fond di San Girolamo
C San Girolamo
C dei Riformati
C Contarina
Fond della Sensa
Fond delle Cappuccine
C Turlona
Fond di San Giobbe
C Tintoria
Fond del Batello
C del Magazen
C dell Beccarie
Ponte Saponello
C della Madonna
Chiesa di San Girolamo
Rio del Batello
Rio di San Girolamo
Fond degli Ormesini
Campo San Giobbe
Fond di Cannaregio
Canale di Cannaregio
Campo del Ghetto Nuovo
Schola Italiana
Campo del Ghetto Vecchio
C della Cereria
Rio di San Giobbe
Fond Savorgnan
C Busello
Schola Levantina
Schola Canton
Schola Spagnola
C della Masena
C Nova
Rio Terà Farsetti
C dell'Aseo
Rio della Crea
Fond Venier
Guglie
Nave d'Oro
Palazzo Venier
Saliz San Geremia
Rio Terà San Leonardo
Rio Terà della Maddalena
Parco Savorgnan
Campo San Leonardo
Fond Labia
C Emo
C Riello
C Gioacchina
C della Misericordia
C Priuli detta dei Cavalletti
Campo San Geremia
Campo San Marcuola
San Marcuola
Palazzo Vendramin Calergi
VeNice
Rio Terà Lista di Spagna
Grand Canal
Riva de Biasio
Riva di Biasio
Rio Terà
Palazzo Calbo-Crotta
Ferrovia Scalzi
Stazione di Santa Lucia (Ferrovia)
Bureau de l'APT
Ponte dei Scalzi
Campo San Giovanni Decollato
Fond del Megio
C del Megio
San Stae
Saliz di San Stae
Bureau d'assistance aux handicapés
HelloVenezia
Voir la carte Santa Croce p. 100-101
HelloVenezia
Fond di Santa Lucia
Clio de Comare
Fond Rimpetto Mocenigo
Piazzale Roma Scomenzera
Stazione Merci (marchandises)
Ferrovia Santa Lucia
Fond Rio Marino Garzotti
Campo San Nazario Sauro
Campo San Giacomo dell'Orio
C Larga
Piazzale Roma Parisi
Campo dei Tedeschi
Campo Santa Maria Mater Domini
Ramo Chioverette
Fond San Simeon Piccolo
Campo delle Strope
C del Tentor
Pontedella Libertà
Piazzale Roma Santa Chiara
Ponte di Calatrava
Fond dei Tolentini
C Lunga
Campo Sant'Agostin
Garage Comunale
Giardini Papadopoli
C dell'Olio
Piazzale Roma
Rio Nuovo
Campiello della Scuola
Campo Tolentini
Corte di Amai
SAN POLO
Campo San Stin
2
5
8
12
14
16
19
20
23

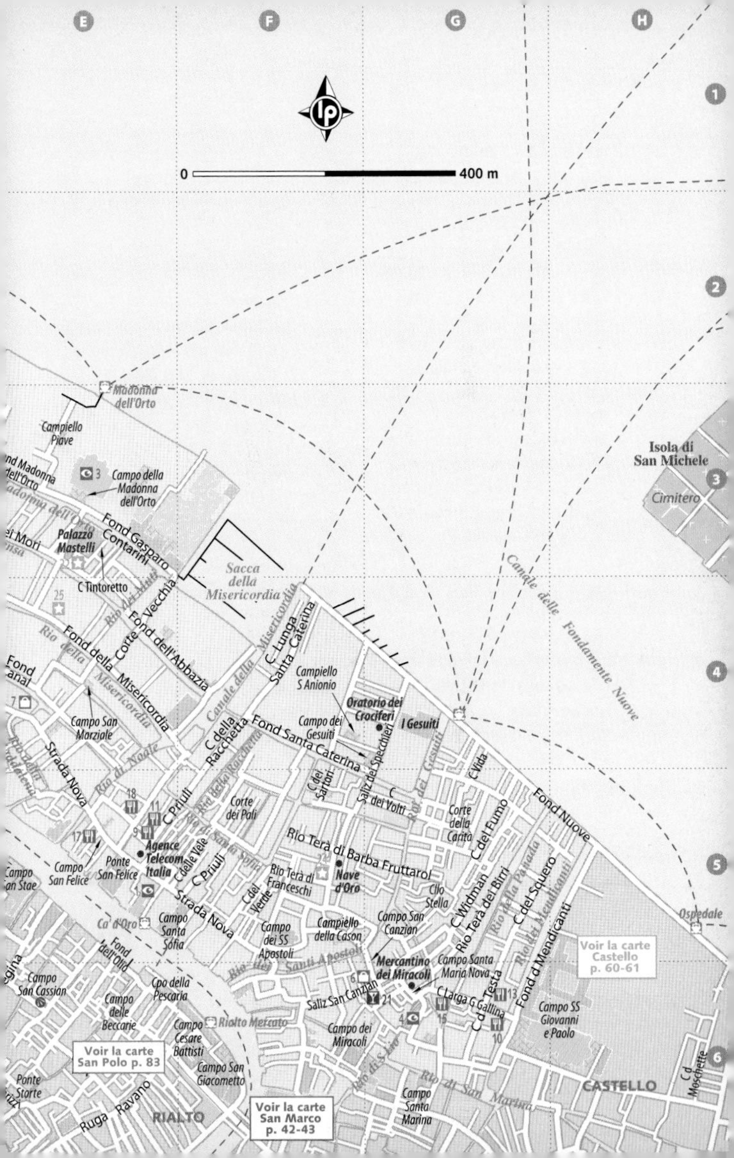

E
F
G
H
1
2
3
4
5
6
0
400 m
Madonna dell'Orto
Campiello Piave
Campo della Madonna dell'Orto
Isola di San Michele
Cimitero
Palazzo Mastelli
Fond Gasparo Contarini
C Tintoretto
Sacca della Misericordia
Canale delle Fondamente Nuove
Corte Vecchia
Fond dell'Abbazia
Fond della Misericordia
Rio della Misericordia
C Lunga Santa Caterina
Campiello S Antonio
Oratorio dei Crociferi
I Gesuiti
Campo dei Gesuiti
Campo San Marziale
Strada Nova
C della Racchetta
Fond Santa Caterina
Saliz dei Specchieri
C dei Sartori
C dei Volti
C Vida
Corte della Carità
C del Fumo
Fond Nuove
C Priuli
Corte dei Pali
Rio Terà di Barba Fruttarol
Agence Telecom Italia
Campo San Felice
Ponte San Felice
C delle Vele
Rio Terà di Franceschi
Nave d'Oro
C del Verde
Cllo Stella
C Widman
Rio Terà dei Birri
C del Squero
Fond d Mendicanti
Ospedale
Campo San Stae
Ca' d'Oro
Campo Santa Sofia
Campo dei SS Apostoli
Campiello della Cason
Campo San Canzian
Mercantino dei Miracoli
Campo Santa Maria Nova
Voir la carte Castello p. 60-61
Fond dell'Olio
Campo San Cassian
Cpo della Pescaria
Campo delle Beccarie
Rialto Mercato
Salliz San Canzian
C Larga G Gallina
C d Testa
Campo SS Giovanni e Paolo
Campo Cesare Battisti
Campo dei Miracoli
Voir la carte San Polo p. 83
Campo San Giacometto
Ponte Storte
Rio di San Marina
Campo Santa Marina
CASTELLO
C d Meschette
Ruga Ravano
RIALTO
Voir la carte San Marco p. 42-43

les Turcs et les Grecs à s'installer dans la cité. Des centaines de juifs espagnols fuyant l'Inquisition s'y réfugièrent en 1589. Une plaque murale rappelle la tragédie du 5 décembre 1943 et du 17 août 1944, lorsque 289 juifs vénitiens furent raflés et déportés dans des camps de concentration nazis. La maison de retraite au nord-est de la place abrite quelques survivants de l'Holocauste. On raconte qu'un rabbin fantomatique hantant la place après les déportations de la Seconde Guerre mondiale serait mystérieusement réapparu dans les années 1990. Voir aussi p. 19.

CHIESA DELLA MADONNA DELL'ORTO

Campo della Madonna dell'Orto 3520 ; entrée 2,50 €, gratuit avec le forfait Chorus ; 10h-17h lun-sam, 13h-17h dim ; Madonna dell'Orto

Souvent ignorée des touristes, cette belle cathédrale gothique en brique est dédiée aux marchands et aux voyageurs (vous, en fait). Le Tintoret (voir p. 15), qui vivait de l'autre côté du pont, y travailla pendant des dizaines d'années. Sa *Présentation de la Vierge au temple*, recouverte d'or, contraste avec *Le Jugement dernier*, situé dans l'abside. Le tableau représente une assemblée d'anges, de saints et de simples mortels tendant le cou pour regarder monter la Vierge à des hauteurs vertigineuses, et sans doute la montrer en exemple à leurs enfants. Le Tintoret et sa famille sont enterrés dans la chapelle.

CHIESA DI SANTA MARIA DEI MIRACOLI

041 2750462 ; Campo dei Miracoli 6074 ; entrée 2 €, gratuit avec le forfait Chorus ; 10h-17h lun-sam, dim 15h-17h ; Rialto

Quand l'icône de la Vierge peinte par Nicolò di Pietro commença à verser des larmes, en 1480, il fut vite impossible de contrôler la foule, faute de place. Par respect pour l'icône miraculeuse, et sans doute pour calmer l'ardeur des fidèles, une collecte fut organisée pour financer la construction d'une chapelle qui abriterait la peinture et ses admirateurs en extase. L'église qui vit le jour n'est pas moins divine ! Pietro Lombardo écarta le style gothique alors en vogue en faveur d'une approche plus simple et plus classique : le style Renaissance. L'intérieur et l'extérieur de ce magnifique édifice sont couverts de marbre scintillant. Dans la grande tradition de l'humanisme, Pier Maria Pennacchi orna chacun des 50 pans de plafond d'un portrait de saint ou de prophète vêtu en Vénitien. Ce qui n'était à l'origine qu'une modeste chapelle devint un monument, et un témoignage du formidable talent artistique vénitien.

MUSEO EBRAICO DI VENEZIA

041 715359 ; www.museoebraico.it ; Campo del Ghetto Nuovo 2902b ; adulte/étudiant 3/2 €, avec la visite des synagogues 8/7 € ; 10h-19h tlj juin-sept, 10h-18h tlj oct-mai ; San Marcuola

Outre sa collection consacrée à la culture juive, le Museo Ebraico di Venezia permet aussi de découvrir une communauté vénitienne dynamique et le rôle déterminant qu'elle joua dans les arts, l'architecture, le commerce et l'histoire de Venise. La visite guidée (en italien ou en anglais) passe par trois à cinq des sept minuscules synagogues que comprend le Ghetto. Les visites partent toutes les demi-heures à partir de 10h30. Des visites (également en italien ou en anglais) de l'Antico Cimitero Israelitico (ancien cimetière juif, p. 134), au Lido, partent à 15h30 le dernier dimanche du mois et coûtent 10 €. Voir p. 19 pour en savoir plus sur la communauté juive de Venise.

SHOPPING

LUNA *Mode*

Salizada San Canzian 5917 ; 16h-19h30 lun, 10h-12h45 et 16h-19h30 mar-sam ; Rialto

Les robes drapées dans des tissus imprimés, les fourreaux en soie brune avec ceinture assortie et les robes dos nu au décolleté ajouré ont deux points communs : comme tous les articles de Luna, ils sont conçus et fabriqués en Italie, et offrent un très très bon rapport qualité/prix.

SOLARIS *Livres*

041 5241098 ; www.libreriasolaris.com ; Rio Terà de la Maddelena 2332 ; 10h-12h30 et 16h30-19h30 lun-sam, 16h30-19h dim ; San Marcuola

Cette minuscule librairie est une des plus connues à Venise pour la BD, les polars et la science-fiction. Un rayon entier est consacré à *Corto Maltese*, la BD de l'Italien Hugo Pratt dont les épisodes les plus célèbres se déroulent à Venise. On y trouve aussi d'autres types de livres, des DVD ainsi que des magazines. La bibliothèque remplie de livres, contre le mur du fond, est vraiment impressionnante…

SE RESTAURER

AL CICHETI *Cicheti* €

041716037 ; Calle della Misericordia 367 ; 7h30-19h30 lun-ven, sam 7h30-13h ; Ferrovia

Pour que le sandwich du train ne soit pas votre dernier repas vénitien, offrez-vous un verre de *prosecco* et une assiette de *pasta e ceci* (pâtes aux pois chiches), voire un savoureux risotto aux asperges si vous avez le temps, dans ce bar proche de la gare.

Rosanna Corró

Artisan papetier et conceptrice de sacs à main chez Carté (p. 87)

Papier cosmopolite J'ai débuté comme restauratrice de livres. J'avais alors accès à des collections privées d'ouvrages anciens dont les pages de garde en papier marbré étaient vraiment étonnantes. Cette tradition du papier marbré (*carta marmorizzata*) fut rapportée à Venise du Japon, par l'intermédiaire des Turcs et des Florentins, puis elle a considérablement évolué. En étudiant les anciennes méthodes de fabrication, j'ai entrevu de nouvelles possibilités… À la fois Brésilienne et Vénitienne, tournée vers la modernité, j'ai pu enrichir cette tradition. **Le calme de Cannaregio** Je puise mon inspiration ici, dans mon quartier, au pied de chez moi : dans les vieux murs de plâtre pelé, dans les éclats de lumière dans l'eau, dans la Madonna dell'Orto [p. 74]. À Cannaregio, il y a environ cinq Vénitiens pour trois touristes, et les berges des canaux sont paisibles et ensoleillées. **Rendre l'humeur de la cité** Chaque feuille de papier est unique, selon la température de l'eau, l'humidité, l'humeur du jour. Lorsque j'arrive à l'exprimer, je suis contente.

AL FONTEGO DEI PESCATORI

Nouvelle cuisine vénitienne €€€

☎ 041 5200538 ; Calle Priuli 3726 ; 12h-15h et 19h-22h30 mer-dim ; Rialto

On vient ici pour les tables du jardin et l'inspiration insufflée au menu par le chef Bruno, qui prend autant au sérieux les herbes sauvages et les légumes locaux que les fruits de mer. En saison, il prépare des *bigoli* (spaghettis épais) à la seiche et à la menthe fraîche, des pâtes aux asperges sauvages et aux palourdes, et un risotto de crevettes au houblon sauvage. Sinon, il suffit de commander n'importe quel légume exotique ou poisson imprononçable : ce sont des valeurs sûres.

AL PONTE *Cicheti* €€

☎ 041 5286157 ; Calle Larga G Gallina 6378 ; 8h-20h30 lun-sam ; Rialto

En arrivant tôt, avec un peu de chance et un contact à Venise pour réserver en votre nom, vous dînerez à l'une des minuscules tables de ce bar "sur le pont" (*al ponte*). Il est reconnaissable à sa porte rouge. Mais les *cicheti* (tapas vénitiennes) valent aussi la peine de juste s'installer au bar. Le vendredi, les *crudi* (sélections de poissons crus) sont à l'honneur. Les autres jours, les préparations saisonnières comprennent une salade de petits calamars et des paninis au salami délicieusement marbré.

ALLA VEDOVA

Cicheti, cuisine vénitienne €

☎ 041 5285324 ; Calle del Pistor 3912 ; 12h30-15h et 18h30-22h30 lun-mer et ven-sam, 18h30-22h30 jeu et dim ; Ca' d'Oro

Ici, les traditions culinaires remontent loin dans le temps : Alla Vedova compte parmi les plus vieilles *osterie* de Venise. Inutile de chercher un *spritz* ou un café sur le menu, mais vous ne paierez pas plus de 1 € pour grignoter des boulettes de viande au bar (le personnel est intarissable sur la question des spaghettis bolognaise). Les *cicheti* du comptoir sont succulents et à des prix raisonnables, à moins que vous ne préfériez vous installer à l'une des tables de bois usées par des générations de coudes.

ANICE STELLATO

Nouvelle cuisine vénitienne, cuisine biologique €€€

☎ 041 720744 ; Fondamenta della Sensa 3272 ; 11h-15h et 19h-23h mer-dim ; Madonna dell'Orto

Le lieu est peu engageant, mais la réputation d'Anice Stellato et de son bar sauvage aux herbes et au sel de mer, de son filet d'agneau en croûte de pistaches

Produits bio, cuisine inspirée, service chaleureux : les ingrédients d'un repas chez Anice Stellato (p. 77)

et de son *moeche* (crabe à carapace molle) frit à la perfection n'est plus à faire. Les ingrédients sont locaux et généralement bio, les épices évoquent l'histoire de Venise, et l'eau servie à table est celle du robinet pour réduire la pollution due aux bouteilles en plastique. Le service est aimable, les tables invitent à la discussion, le personnel vous aidera à faire votre choix et les plats sont moins chers qu'on ne pourrait le craindre pour une cuisine de cette qualité.

ANTICA CANTINA

Cuisine vénitienne €€

☎ 041 7241198 ; Calle della Testa 6369 ; Rialto

Ici, on sert des *penne* piquantes aux crevettes, aux palourdes et au gorgonzola, du calamar dans son encre accompagné de polenta grillée et de *nervetti* (tendons de veau) marinés, étonnamment tendres et au goût puissant. La carte des vins compte essentiellement des petits vignobles de Vénétie que l'on ne trouve nulle part ailleurs. L'*uvaggio* blanc Ca' Rugate, à savourer entre deux plats, est plus que recommandable. Attention, seuls 20 convives peuvent s'attabler.

BEA VITA

Nouvelle cuisine vénitienne €€€

☎ 041 2759347 ; Fondamente delle Cappuccine 3082 ; Guglie

Ce bar local dissimule une arrière-salle à manger où l'on déguste de surprenants plats du jour, comme le risotto à l'*anatra* (canard de lagune) avec sa réduction de vinaigre balsamique et ses myrtilles sauvages. Demandez un vin en accord avec votre plat : vous aurez le choix entre plusieurs bonnes bouteilles de 11 à 40 €.

DA ALBERTO

Cicheti, cuisine vénitienne €€

041 5238153 ; Calle Larga G Gallina 5401 ; 12h-15h et 18h-22h lun-sam ; Ospedale

Cette adresse, introuvable comme il se doit, a tout d'une authentique *osteria* vénitienne. Les prix doux et la sélection de *cicheti* de saison valent mieux que les sempiternels *crostini* : croustillante friture de poisson vénitien ou *baccalà* (morue) sucrée-salée. Attention : la cuisine ferme tôt quand la soirée est calme.

I QUATTRO RUSTEGHI

Cuisine vénitienne €€

041 715160 ; www.quattrorusteghi.it/restaurant.htm ; Campo del Ghetto Nuovo 2888 ; San Marcuola

Installé dans cet agréable restaurant, au rez-de-chaussée de la Scuola Italiana, vous pourrez observer le Campo del Ghetto Nuovo s'animer tout en dégustant une assiette de gnocchis maison ou de pâtes aux fleurs de courgette et aux crevettes.

LA CANTINA *Cicheti* €€

041 5228258 ; Campo San Felice 3689 ; 11h-21h30 mar-sam ; Ca' d'Oro

Par une soirée froide et humide, grimpez sur un tabouret et réchauffez vos mains autour d'un bol de soupe de haricots. En été, vous préférerez sans doute siroter une bière Morgana, brassée sur place, accompagnée d'une assiette de *bruschette*. Installez-vous confortablement : les plats sont cuits sur commande et peuvent prendre un certain temps.

VINI DA GIGIO

Cuisine vénitienne €€€

041 5285140 ; www.vinidagigio.com ; Fondamenta San Felice 3628a ; 18h30-0h mer-dim ; Ca' d'Oro

Dans cette *osteria* au bord de l'eau, le temps semble ralenti. Les saint-jacques et leur réduction de vin sont servies avec une crémeuse polenta, et l'interminable liste des vins compte des petits producteurs. Demandez conseil à votre hôte, Paolo Lazzari, fin œnologue.

PRENDRE UN VERRE

AL TIMON *Bar*

034 3209978 ; Fondamenta degli Ormesini 2754 ; 12h-15h et 18h-2h mar-dim ; Guglie

Installez votre chaise près du canal et observez la foule… cela vaut presque autant que la cuisine. Mais n'oubliez pas pour autant l'immense choix de *crostini* et les bons crus qui vous tiendront éveillé jusqu'à une heure avancée.

GIRI DI OMBRE : TROIS ITINÉRAIRES UN VERRE À LA MAIN

Dorsoduro

Votre visite guidée des meilleures *happy hours* (*giro di ombra*) débute chez **Cantinone 'Gia Schiavi'** (p. 122) avec un verre de vin ou une *pallottoline* (petite bouteille de bière). Faites halte à l'**Osteria alla Bifora** (p. 123) pour grignoter une assiette de viandes, de légumes marinés et de fromage arrosée de vin de la maison, ou allez directement au **Caffè Rosso** (p. 122) ou à l'**Imagina Café** (p. 123), autour du Campo Santa Margherita, pour déguster un *spritz* (cocktail à base de *prosecco*). Lorsque vous arriverez à l'**ImprontaCafé** (p. 119), vous serez mûr pour déguster une polenta grillée aux champignons – et peut-être un expresso…

Rialto

Ce quartier fera le bonheur des plus paresseux : toutes les adresses sont concentrées dans quelques rues ! Démarrez à l'**Osteria I Rusteghi** (p. 54), où les amuse-bouches sont servis à des tables basses dans la cour et arrosés de rouges bien charpentés (oubliez le *spritz*). Traversez le pont pour goûter le vin de la maison d'**Al Mercà** (p. 96), avant de rejoindre **Muro Vino e Cucina** (p. 96), où, installé sur la place, vous prendrez un dernier verre. Finissez la soirée chez **Sacro e Profano** (p. 96) pour déguster les pâtes du jour – en espérant qu'il en reste.

Cannaregio

La tournée des meilleurs bars au bord de l'eau commence avec des boulettes de viande et un verre chez **Alla Vedova** (p. 77). Remontez ensuite le Rio Terà della Maddalena, traversez le Ghetto et franchissez le pont suivant pour rejoindre **Al Timon** (p. 79), où vous attendent des *crostini* et quelques verres à savourer en bordure de canal. Ensuite, à vous de choisir entre une bière à l'**Osteria agli Ormesini** (ci-dessous), tout près, ou un risotto et des vins à prix corrects chez **Bea Vita** (p. 78) – et pourquoi pas les deux ?

OSTERIA AGLI ORMESINI

Pub

041 715834 ; Fondamenta degli Ormesini 2710 ; 18h30-2h lun-sam ; Madonna dell'Orto

Alors que le vin est la boisson de prédilection du reste de la ville, la bière est ici à l'honneur, avec 120 marques, principalement étrangères. La clientèle finit toujours dans la rue, surtout quand la *happy hour* sur les paninis attire les étudiants, mais évitez de hurler : les voisins et la direction du bar sont irritables.

UN MONDO DI VINO *Bar à vin*

041 5211093 ; Salizada San Canzian 5984a ; 12h-21h mar-dim ; Rialto

Les premiers clients ont un choix de plats frais et généralement non frits, comme les délicieux artichauts et moules marinés. Ils peuvent aussi manger et boire tranquillement avant que la foule n'envahisse le bar… Quelque 45 vins sont servis au verre (1,50-3,50 €). À ces prix, vous pouvez suivre aveuglément les suggestions du barman.

SORTIR

BOTTEGA DEL TINTORETTO *Cours*

041 722081 ; www.tintorettovenezia.it ; Fondamenta dei Mori 3400 ; stage de 5 jours avec déj et matériel 360 € ; Rialto

Si l'envie vous prend, au détour d'un canal de Cannaregio, de vous lancer dans l'aquatinte (gravure à l'eau-forte), Roberto Mazzetto vous apprendra tout de cette technique (et de bien d'autres). Les cours, qui comprennent ateliers intensifs et stages d'été de cinq jours, se déroulent dans l'atelier (*bottega*) qui fut celui du Tintoret. Une belle référence pour commencer une carrière…

CASINO DI VENEZIA *Casino*

041 5297111 ; www.casinovenezia.it ; Campiello Vendramin 2040 ; entrée 5 € ; 15h-2h30 dim-jeu, 15h-3h ven et sam ; San Marcuola

Ce casino est le théâtre de drames quotidiens, et ce depuis que Venise fut possédée par le démon du jeu au XVIe siècle. Le compositeur Richard Wagner survécut à vingt ans d'écriture acharnée du cycle de la *Tétralogie*, pour mourir au casino en 1883. La veste est obligatoire et les nerfs d'acier sont indispensables à ces tables : les mises sont telles que les timorés s'abstiendront.

CINEMA GIORGIONE MOVIE D'ESSAI *Cinéma*

041 5226298 ; Rio Terà di Franceschi 4612 ; adulte/étudiant 7/5 € ; séances 17h30, 19h30 et 22h ; Ca' d'Oro

Le Giorgione Movie d'Essai est le seul cinéma de Venise, il est donc souvent pris d'assaut. Attention, les films jouissant de bonnes critiques attirent tout le temps beaucoup de monde. Ceux qui parlent italien apprendront peut-être au milieu de la file d'attente que tous les billets ont déjà été vendus…

PARADISO PERDUTO *Concerts*

041 720581 ; Fondamenta della Misericordia 2540 ; 19h-14h jeu-lun ; Madonna dell'Orto

Malgré ses allures de salle syndicale, c'est l'endroit idéal pour savourer un grog, se faire de nouveaux amis et assister à des concerts qui tournent parfois à l'improvisation – avec la participation du public. La cuisine est sans intérêt, mais profitez de la terrasse en été.

>SAN POLO

À San Polo, les démonstrations de pure dévotion côtoient les plaisirs terrestres, et les œuvres d'art les plus divines jouxtent l'ancien quartier rouge, où cohabitent aujourd'hui ateliers d'artisans et excellents restaurants. Fiertés des habitants, les deux monuments emblématiques du quartier sont souvent associés, malgré leurs différences : I Frari conserve une magnifique *Vierge* de Titien ; la Scuola Grande di San Rocco est ornée de toiles du Tintoret à la fois sombres et débordantes de vie. Les marchés du Rialto réservent aux gourmets une expérience quasi mystique et aux photographes, de beaux clichés : les piles de fruits de mer tout juste sortis de l'eau, les poissons luisants artistiquement placés en équilibre au sommet de montagnes de glace ainsi que les fruits et légumes produits dans les jardins marécageux de la lagune sont dignes d'une offrande aux dieux. San Polo cache aussi des ateliers d'artisans qui feront le bonheur des amateurs de shopping – sans les ruiner.

SAN POLO

VOIR

Casa di Goldoni	1	C4
Chiesa di San Polo	2	D3
I Frari	3	B3
Ponte delle Tette	4	D2
Ponte di Rialto	5	F2
Scuola Grande di San Rocco	6	B3

SHOPPING

Attombri	7	F2
Bottega degli Angeli	8	C2
Campiello Ca' Zen	9	C3
Carté	10	E2
Drogheria Mascari	11	F2
Fanny	12	C3
Gilberto Penzo	13	C3
Hibiscus	14	E3
I Vetri a Lume di Amadi	15	C3
Il Baule Blu	16	B4
Il Gufo Artigiano	17	E2
La Bottega di Gio	18	C3
Mille e Una Nota	19	D3
Sabbie e Nebbie	20	C3
Serena Vianello	21	E3
Vizio Virtù	22	C4
Zazu	23	C3

SE RESTAURER

All'Arco	24	E2
Antica Birreria la Corte	25	D2
Antiche Carampane	26	D2
Dai Zemei	27	E2
Majer Gelateria & Enoteca	28	C2
Osteria La Patatina al Ponte	29	C3
Pasticceria Rizzardini	30	D3
Pescheria	31	E1
Pizzeria Antico Panificio	32	E2
Pronto Pesce Pronto	33	E2
Marchés du Rialto	34	F1
Snack Bar ai Nomboli	35	C3
Trattoria da Ignazio	36	C3

PRENDRE UN VERRE

Al Mercà	37	F2
Do Mori	38	E2
Muro Vino e Cucina	39	F2
Sacro e Profano	40	F2

SORTIR

Interpreti Veneziani	(voir 6)	
Arena Estiva	41	D3

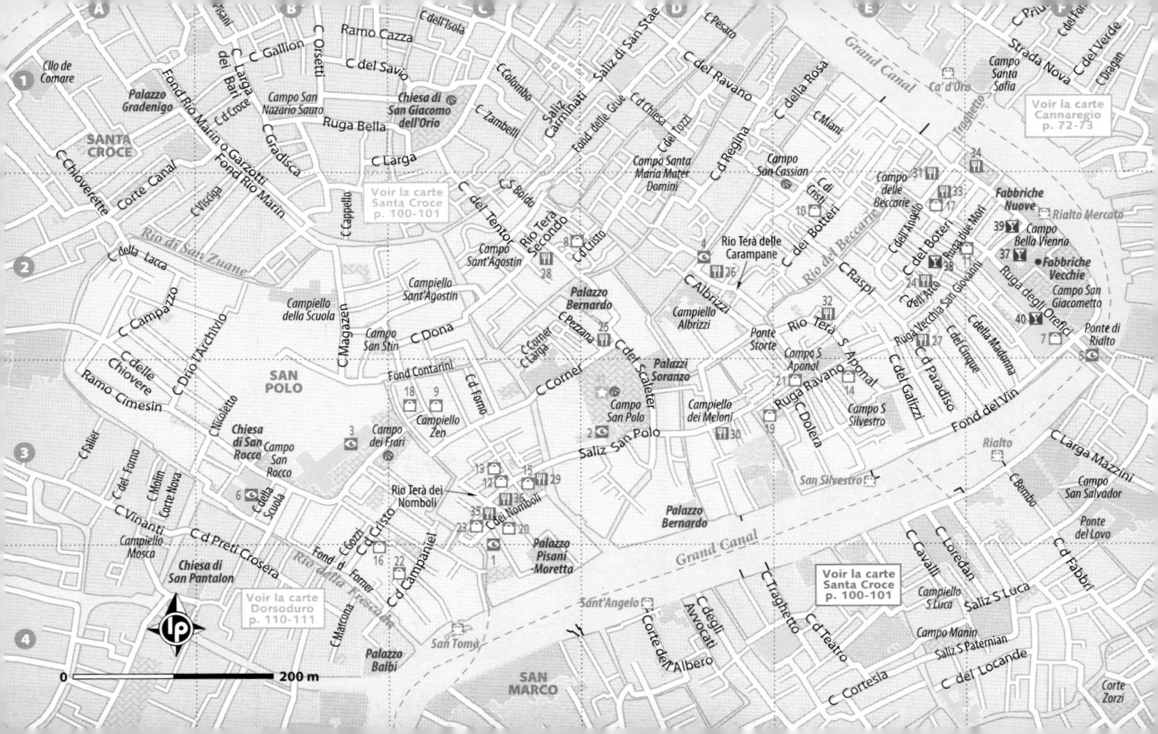

SANTA CROCE
SAN POLO
SAN MARCO
Grand Canal
Palazzo Gradenigo
Chiesa di San Giacomo dell'Orio
Campo San Nazario Sauro
Campo Santa Maria Mater Domini
Campo San Cassian
Campo delle Beccarie
Fabbriche Nuove
Fabbriche Vecchie
Campo Bella Vienna
Campo San Giacometto
Ponte di Rialto
Rialto Mercato
Rialto
Ca' d'Oro
Campo Santa Sofia
Strada Nova
Voir la carte Cannaregio p. 72-73
Voir la carte Santa Croce p. 100-101
Voir la carte Dorsoduro p. 110-111
Voir la carte Santa Croce p. 100-101
Campo Sant'Agostin
Campiello Sant'Agostin
Campiello della Scuola
Campo San Stin
Campiello Zen
Campo dei Frari
Chiesa di San Rocco
Campo San Rocco
Chiesa di San Pantalon
Campiello Mosca
Palazzo Bernardo
Palazzi Soranzo
Campo San Polo
Campiello Albrizzi
Campiello dei Meloni
Campo S Aponal
Campo S Silvestro
Palazzo Bernardo
Palazzo Pisani-Moretta
Palazzo Balbi
Rio Terà dei Nomboli
Rio Terà delle Carampane
Rio di San Zuane
Rio del Beccarie
Rio della Frescada
Ponte Storte
San Silvestro
Sant'Angelo
San Tomà
Campo San Salvador
Ponte del Lovo
Campiello S Luca
Campo Manin
Corte Zorzi
Saliz San Polo
Saliz S Luca
Saliz S Paternian
Fond del Vin
Ruga degli Orefici
Ruga Vecchia San Giovanni
Ruga Bella
Ruga Ravano
Rio Terà S Aponal
Rio Terà Secondo
Fond Rio Marin o Garzotti
Fond Rio Marin
Fond Contarini
Ramo Cazza
Ramo Cimesin
Cllo de Comare
Corte Canal
Corte dell'Albero
0
200 m

VOIR

CASA DI GOLDONI

041 2759325 ; www.museicivici veneziani.it ; Calle dei Nomboli 2794 ; adulte/étudiant 2,50/1,50 € ; 10h-17h lun-sam avr-oct, 10h-16h lun-sam nov-mars ; San Tomà

Acteurs, musiciens et écrivains sentiront certainement l'inspiration monter en eux des sols en pierre. C'est en effet dans cette demeure que naquit Carlo Goldoni (1707-1793), créateur de l'*opera buffa* (opéra-comique) et auteur de satires sociales. Comme l'explique l'exposition au 1er étage, Goldoni joua plusieurs personnages au cours de sa vie : il travailla comme apprenti chez un médecin avant d'étudier le droit, une seconde vocation qui s'avéra utile lorsqu'il peinait à vendre ses comédies. Goldoni finit toutefois par séduire le Tout-Venise, qui riait de lui-même devant ces parodies. La star du musée est le théâtre de marionnettes du XVIIIe siècle. Des concerts de musique de chambre sont aussi organisés : consultez le programme sur le site Internet du musée.

CHIESA DI SAN POLO

Campo San Polo 2118 ; entrée 3 €, gratuit avec le forfait Chorus ; 10h-17h lun-sam ; San Silvestro

Cette église byzantine du IXe siècle demeura longtemps méconnue, malgré les immeubles qui poussaient autour d'elle. La plupart des voyageurs passent devant sans la remarquer. Dotée d'un haut plafond en quille de navire et de vitraux des XIVe et XVe siècles, San Polo frappe par sa taille et, malgré l'obscurité qui y règne, par les œuvres qu'elle abrite. Dans *La Cène* du Tintoret, les apôtres, apprenant que l'un d'entre eux va trahir le Christ, semblent indignés, choqués et furieux. La tension est palpable. Giandominico Tiepolo (le fils de Giambattista, maître des plafonds baroques), dans son *Chemin de croix*, montre Jésus en haillons tachés de sang, tourmenté par des badauds richement vêtus. Et sur le fond doré du plafond, lorsque Jésus sort de son tombeau, ses bourreaux sont pétrifiés.

I FRARI

Chiesa di Santa Maria Gloriosa dei Frari ; Campo dei Frari ; entrée 3 €, gratuit avec le forfait Chorus ; 9h-18h lun-sam, 13h-18h dim ; San Tomà

Le retable de *L'Assomption* (voir p. 16), réalisé en 1518 par Titien, fascine tous ceux qui pénètrent dans l'abside de cette église. Il dépeint l'instant où la Vierge quitte son enveloppe terrestre et monte au Paradis, sa robe rouge flottant en désordre autour d'elle. Dans le tableau, les badauds lèvent les yeux, stupéfaits, et se montrent la Vierge du doigt, imités

Les merveilles d'I Frari laissent les visiteurs bouche bée

aujourd'hui par les visiteurs venus admirer la toile. Le retable n'est pas le seul intérêt de cette vaste église gothique. On remarquera aussi le minuscule puzzle en marqueterie des stalles du chœur, l'émouvant triptyque de Giovanni Bellini, dans la sacristie, la *Madonna di Ca' Pesaro* (retable de la Ca' Pesaro), un autre chef-d'œuvre de Titien. Enfin, à gauche du chœur, la pyramide de marbre est le tombeau d'Antonio Canova, à l'origine conçue par l'artiste comme un hommage à Titien. Ce dernier mourut de la peste en 1576, à 90 ans. À en croire la légende, la reconnaissance d'I Frari pour le peintre était telle que l'on fit exception aux règles de quarantaine pour permettre son inhumation.

PONTE DELLE TETTE

Rialto

Ce "pont des tétons" fut ainsi baptisé à la fin du XVe siècle, lorsque les prostituées du quartier furent invitées à exposer leurs charmes à la vue de tous afin d'encourager l'hétérosexualité. De l'autre côté du pont se trouve le Rio Terà delle Carampane, du nom de la demeure d'une famille de la noblesse (Ca' Rampani), où se retrouvaient les professionnelles des environs. Aujourd'hui encore, celles-là sont communément appelées *carampane* en vénitien.

PONTE DI RIALTO

Rialto

Chef-d'œuvre d'ingénierie en son temps, le pont en marbre conçu par Antonio da Ponte en 1592 fut pendant des siècles le seul à enjamber le Grand Canal. Sa construction coûta la somme colossale de 250 000 ducats d'or, à côté desquels les dépassements budgétaires du Ponte di Calatrava (p. 102) sembleraient presque raisonnables ! Aujourd'hui, les Vénitiens préfèrent éviter le Rialto, constamment bouché par les vendeurs et les visiteurs, ou longer son côté nord, moins intéressant. Le sud du pont donne en effet sur San Marco. Au coucher du soleil, après le départ des groupes de touristes et des maniaques de la pellicule, la vue sur le Grand Canal et ses palais est tout simplement splendide.

SCUOLA GRANDE DI SAN ROCCO

041 5234864 ; www.scuolagrande sanrocco.it ; Campo San Rocco 3052 ; adulte/moins de 26 ans 7/5 € ; 9h-17h30 avr-oct, 10h-17h nov-mars ; San Tomà

Le Tintoret travailla ici durant 23 ans (de 1564 à 1587), et l'œuvre de sa vie n'a rien perdu de sa fraîcheur. On attendait beaucoup de la décoration de cet édifice consacré au saint patron des pestiférés, aussi le Tintoret dut-il se surpasser. Par précaution, il tricha un peu. Au lieu de soumettre des croquis, comme le fit Véronèse, son concurrent, il réalisa un plafond qu'il dédia au saint – sachant bien que la confrérie ne refuserait pas une offrande faite à saint Roch, et que les autres peintres devraient ainsi travailler autour de son œuvre. Il déploya tout son talent dans la Sala Grande Superiore, à l'étage, et couvrit les murs de scènes bibliques aussi animées qu'une bande dessinée. Cette série de tableaux produit un effet vraiment étonnant : on entendrait presque le battement d'ailes des anges fondant sur Élie mourant. Se démarquant des coloristes vénitiens, le Tintoret mit l'accent sur le dynamisme des lignes. On reconnaît ainsi les fondements de l'expressionnisme abstrait dans *La Prière dans le jardin des Oliviers*, où Jésus est représenté, avec des traits sommaires, le visage crispé, sur un fond noir en forme de croix. Voir p. 15 pour en savoir plus sur le Tintoret.

SHOPPING

ATTOMBRI *Bijoux*

041 5212524 ; www.attombri.com ; Sotoportego Orafi 74, Rialto ; 9h-13h et 15h-19h lun-sam ; Rialto

Les créations des Attombri ont été vues il y a peu sur les mannequins des défilés Dolce & Gabbana à Milan. Faits main par Stefano et Daniele

Attombri, ces somptueux bijoux ornent le cou d'étoiles de mer écarlates ou, rehaussés de perles bleues, s'enroulent élégamment autour du poignet. À partir de 40 €, ces accessoires sont une excellente affaire en comparaison d'un T-shirt griffé D&G.

BOTTEGA DEGLI ANGELI
Céramiques

041 710866 ; www.bottegangeli.com ; Calle del Crist 2224 ; 10h-13h et 15h-20h lun-sam ; Rialto

Entre les immenses vases, les petits carreaux et les pendentifs miniatures, difficile de ne pas trouver son bonheur. Les trois céramistes ont créé une collection variée : formes austères, motifs abstraits en verre teinté ou poissons malicieux. Leur marque de fabrique : un rouge difficile à obtenir (tous les céramistes vous le diront). Des ateliers et des cours de poterie sont aussi proposés.

CAMPIELLO CA' ZEN
Antiquités

041 714871 ; www.campiellocazen.com ; Campiello Zen 2581 ; 9h-13h et 15h-19h lun- sam ; San Tomà

Une lampe ancienne en verre est sans doute la dernière chose que vous aviez prévu de rapporter dans vos bagages. Vous changerez peut-être d'avis devant le chandelier Salviati des années 1940, tout de fleurs argentées, ou les lampes de chevet Scarpa, à côté desquels la superbe coupe en verre soufflé semble presque pratique. Mauvaise nouvelle : Campiello Ca' Zen livre aussi à l'étranger.

CARTÉ *Papeterie*

320 0248776 ; Calle di Cristi 1731 ; 9h-13h et 15h-19h30 lun-sam ; San Tomà

Après des années passées à restaurer manuscrits et ouvrages anciens, la talentueuse Rosanna Corró (p. 76) a lancé une gamme d'objets originaux. Sa minuscule échoppe est remplie de sacs en papier et en tissu aux motifs vénitiens, de panneaux de papier marbré colorés à accrocher sur les murs du salon, et de boîtes décorées de tourbillons optiques. Les albums et les journaux de voyages feront honneur à vos photos de Venise.

DROGHERIA MASCARI
Alimentation, vin

041 5229762 ; Ruga degli Spezieri 381 ; 8h-13h et 16h-19h30 lun, mar et jeu-sam, 8h-13h mer ; San Silvestro

Dans le paradis pour gourmets qu'est cette boutique d'épices, les produits sont conservés dans de minuscules tiroirs en bois et des bocaux à couvercles de cuivre. Dans la vitrine, entre les pyramides de poivre de Cayenne et les montagnes

La Drogheria Mascari (p. 87) : de quoi nourrir son imagination

d'anis étoilé, les vins biodynamiques de Vénétie côtoient les huiles d'olive de petits producteurs. À l'arrière, le bar à vin propose une très belle sélection de crus italiens à partir de 5,50 €.

FANNY *Maroquinerie*

041 5228266 ; Calle dei Saoneri 2723 ; 10h-19h30 ; San Tomà

Les mains gelées par le froid vénitien, vous serez peut-être soulagé de trouver cette boutique de gants de cuir. Violets à petits boutons jaunes ou turquoise doublés de cachemire, ils allient confort et élégance. À des prix doux, difficile de ne pas craquer pour une pochette orange vif ou un sac à main vert tendre.

GILBERTO PENZO

Maquettes de bateaux

041 719372 ; Calle 2 dei Saoneri 2681 ; 9h-12h30 et 15h-18h lun-sam ; San Tomà

Si vous rêvez de rapporter une gondole avec vous, ou que les maquettes du Museo Storico Navale (p. 62) vous fascinent, la boutique de cet artisan vous rendra sans doute complètement fou. Les maquettes en bois sculptées à la main reprennent toutes les formes de bateaux vénitiens. Certaines seront même du meilleur effet dans votre baignoire… Signore Penzo crée aussi des modèles en pièces détachées à assembler soi-même.

HIBISCUS *Mode*

041 5208989 ; Ruga Rialto 1060 ; 10h-18h30 ; San Silvestro

Besoin d'une tenue en urgence pour l'inauguration de la Biennale d'art contemporain ? Si votre fée marraine est injoignable, Hibiscus devrait probablement pouvoir vous sauver. La collection réunit plusieurs styles, par exemple des robes italiennes flottantes à ruchés, des vestes japonaises à revers en tissu imperméable ou encore des colliers ornés de disques de céramique fabriqués à Venise.

I VETRI A LUME DI AMADI

Verrerie

041 5238089 ; Calle Saoneri 2747 ; 9h-12h30 et 15h-18h lun-sam ; San Silvestro

Entre les mains du Signore Amadi, une véritable ménagerie de verre prend vie : anémones de mer aux tentacules roses, petits crabes menaçants, les pinces brandies… Une armoire à pharmacie renferme un ensemble de moustiques de verre, étonnant de réalisme, en équilibre sur des pattes aussi fines que des cheveux. Les remarquables chevaux en verre bleu sont des Picasso en trois dimensions ; quant aux haricots et aux oignons doux, ils donneraient presque faim.

IL BAULE BLU

Antiquités, jouets

041 719448 ; San Tomà 2915a ; 10h30-12h30 et 16h-19h30 lun-sam ; San Tomà

Cet antiquaire aux allures de cabinet de curiosités est une vraie caverne d'Ali Baba. Lors de notre dernière visite, nous y avons croisé des ours en peluche Steiff et des perles de verre de Murano (*murrine*) d'époque, un costume en soie rose pâle Jil Sander et une boîte de cigares remplie de boutons en Bakélite. Si les nounours de vos enfants ont mal résisté au voyage, l'hôpital des ours en peluche leur prodiguera soins et réconfort.

IL GUFO ARTIGIANO

Maroquinerie

041 5234030 ; Ruga del Speziali 299 ; 10h-13h et 15h-19h lun-sam ; Rialto

Vos photos de Venise méritent un écrin à leur mesure. Les albums vendus ici sont en cuir gaufré à la main dans des couleurs vives obtenues à base de teintures végétales. Les motifs en tourbillons que l'on retrouve sur les carnets, les sacs à main et les portefeuilles sont inspirés des ferronneries des fenêtres et balcons vénitiens.

LA BOTTEGA DI GIO *Bijoux*

041 714664 ; Fondamenta dei Frari 2559a ; 10h-13h et 15h-19h lun-sam ; San Tomà

Si vous ne tombez pas amoureux d'un des colliers de verre exposés, vous pourrez concevoir le vôtre : choisissez vos perles de verre de Murano, votre fil coloré, un cordon de soie ou de cuir et à vous de jouer. Comptez 1 € ou plus pour une perle artisanale tournée au chalumeau : une ou deux suffiront à faire un cadeau original et typiquement vénitien.

MILLE E UNA NOTA

Instruments de musique

041 5231822 ; Calle di Mezzo 1235 ; 9h45-13h et 15h30-19h30 lun-sam ; San Tomà

À la sortie d'un concert des Interpreti Veneziani (p. 97), tout le monde

Papiers faits main : impossible de rester de marbre devant un tel choix de styles et de couleurs

se pose la même question : est-ce trop tard pour apprendre à jouer d'un instrument ? Si vous optez modestement pour l'harmonica, Mille e Una Note en possède un vaste choix, d'époque ou modernes, et provenant des Alpes italiennes et de Suisse. Les plus ambitieux y trouveront aussi des luths et des partitions d'Albinoni.

SABBIE E NEBBIE *Cadeaux, décoration*

041 719073 ; Calle dei Nomboli 2768a ; 10h-12h30 et 16h-19h30 lun-sam San Tomà

Entre influences orientales et occidentales, Rina Menardi réunit des céramiques, des châles d'opéra tissés en Inde et des livres faits à la main à Bologne selon des techniques de papier marbré empruntées au Japon.

SERENA VIANELLO *Mode*

041 5223351 ; www.serenavianello.com ; Campo San Aponal 1226 ; 10h-12h et 15h30-19h30 lun-sam ; San Tomà

L'utilisation de riches soies de Côme et les finitions minutieuses font la particularité de ce créateur vénitien. Les sacs à main en soies bicolores rappellent les bleus et les ors des ciels de Tiepolo, et les vestes en soie reprennent les teintes dominantes de la ville, ses verts et le violet sombre de ses détails architecturaux.

VIZIO VIRTU *Alimentation*

041 2750149 ; www.viziovirtu.com ; Calle de Campaniel 2829a ; 10h-18h30 lun-sam ; San Tomà

Cet extraordinaire chocolatier vous réserve un délicieux voyage... Si la fontaine de chocolat chaud ne suffit pas à impressionner les admirateurs de Willy Wonka, le héros du film de Tim Burton, les chocolats fourrés et leur surprenante gamme de saveurs le feront certainement : myrtille et violette, vin de Barolo, groseille et basilic, vinaigre balsamique et "Freud" (au cigare, bien entendu).

ZAZU *Mode*

041 715426 ; Calle dei Saoneri 2750 ; 14h30-19h30 lun, 9h30-13h30 et 14h30-19h30 mar-sam ; San Tomà

Un sac en tapisserie fabriqué en Italie, une robe venue de Barcelone, unique en son genre, et quelques hauts en drapés japonais feront de vous la Marco Polo du monde de la mode. Les prix sont plus élevés que la moyenne, mais restent accessibles, et les articles soldés, à l'arrière, sont entre 50 et 100 €.

SE RESTAURER

ALL'ARCO *Cicheti* €€

041 5205666 ; Calle dell'Arco 436 ; 7h-17h lun-sam ; San Silvestro

"Je prendrai la même chose que la dame..." Ici, les meilleurs *cicheti* (tapas vénitiennes) de la ville ne sont pas au menu – et ne portent même pas de nom. Mieux vaut donc s'inspirer des assiettes de ses voisins. Francesco (voir p. 93) et son fils Matteo imaginent chaque jour de nouvelles créations. Francesco veille aux fourneaux, dans la minuscule cuisine, et concocte, selon son humeur, des crevettes grillées aux pointes d'asperges blanches enroulées dans de la pancetta et de la sauge. Matteo prend sa place après la livraison de poisson du samedi et prépare des tartares de thon à la menthe, fraises et réduction de vinaigre balsamique. Même avec un *prosecco*, difficile de dépasser 20 € pour une cuisine de premier ordre.

ANTICA BIRRERIA LA CORTE *Pizza* €€

041 2750570 ; Campo San Polo 2168 ; 12h-23h ; San Silvestro

Ce restaurant moderne occupe une ancienne brasserie (comme l'indique son nom) du XIXe siècle. On y sert de la viande grillée et de la bonne bière. La pizza est à l'honneur, garnie d'ingrédients originaux comme la roquette, la *bresaola* (bœuf séché) et le *grana padano*. Avec une capacité de 150 personnes, le service est efficace et les tables installées sur la place en été vous mettront aux premières loges des projections de films et des pièces de théâtre en plein air.

ANTICHE CARAMPANE

Cuisine vénitienne €€€

041 5240165 ; www.antichecarampane.com ; Rio Terà delle Carampane 1911 ; mar-sam ; San Stae

Dissimulé dans l'ancien quartier rouge, juste derrière le Ponte delle Tette ("pont des tétons"), cet établissement est un paradis pour gastronomes… mais il faut le gagner ! L'adresse est difficile à trouver, les prix sont élevés et il est impossible de réserver. On y sert néanmoins une cuisine familiale dans une atmosphère intimiste. Cela change des pizzas et des pâtes à la bolognaise pour touristes.

DAI ZEMEI *Cicheti* €

041 5208546 ; www.ostariadaizemei.it ; Ruga Vecchia San Giovanni 1045 ; 9h-20h ; San Silvestro

Les jumeaux (*zemei*) qui tiennent ce restaurant s'activent dès 10h en prévision de la déferlante de fidèles et de gourmets bien informés. Les *bruschette* sont généralement les premières à disparaître, suivies des paninis aux lardons et roquette, mais il reste toujours un bon choix de *crostini*, au gorgonzola, aux noix et au cognac, par exemple. Oubliez le sempiternel *prosecco* et choisissez un *raboso* rustique ou un *refosco*, plus raffiné.

MAJER GELATERIA & ENOTECA *Glaces, vin* €

041 722873 ; Calle del Scalater 2307 ; 11h-21h ; Riva di Biasio

Bonne nouvelle pour les parents d'enfants fatigués des églises et des musées : ce glacier possède aussi une salle de dégustation de vins. Pendant que les enfants mangent d'excellentes glaces aux *frutti di bosco* (fruits des bois) et jouent sur le Campo San Polo, les parents peuvent donc savourer quelques crus. On règle au verre avec des cartes prépayées de 5 €.

OSTERIA LA PATATINA AL PONTE

Cicheti, cuisine vénitienne €€

041 5237238 ; www.lapatatina.it ; Calle dei Saoneri 2741a ; 18h-22h lun, 9h30-14h30 et 18h-22h mar-sam ; San Tomà

La préparation d'une *piatta mista* (assiettes mélangées) exigeant un certain temps, commencez donc par vous rendre au bar et demandez à goûter ce qui vous tente. Essayez par exemple la *baccalà con polenta* (morue à la polenta), la *griglia mista* (légumes grillés) et les *bigoli in salsa* (spaghettis épais à la sauce tomate, aux anchois et aux oignons). Les *tramezzini* (sandwichs) frits sont savoureux mais un peu indigestes, même à grands renforts de *prosecco* maison.

Francesco Pinto

Maître ès cicheti *(tapas vénitiennes) chez All'Arco (p. 91), et chef d'une* osteria *(bar-restaurant) comme son père et son grand-père*

Pourquoi n'avez-vous pas de menu ? On retrouve certains ingrédients, mais le reste n'est que fantaisie. Ce que vous mangez aujourd'hui ne sera peut-être plus là demain. Je suis plus attaché aux traditions que mon fils Matteo, qui prépare des plats modernes, comme les *crudi* [assiettes de poissons crus] à l'italienne, c'est un vrai chef pour les sushis. On cuisine non pas pour l'argent mais pour s'amuser. **Ne quittez pas Venise sans avoir goûté…** Les *sarde in saor* [sardines en marinade d'oignons] et la *baccalà mantecato* [morue en purée à l'ail et au persil] – pas de la morue industrielle, elle est séchée et trempée pendant 48 heures. Essayez aussi les vieux plats vénitiens comme les *nervetti* [tendons de veau] et la *trippa* [tripes]… *[Il s'interrompt]* Vous sentez ? Quelqu'un prépare du calamar. Les *seppioline in nero* [calamars cuits dans leur encre], ça aussi, il faut le goûter. **Comment remercier le chef ?** Venir et bien manger. Rester une heure, pour nous donner le temps de créer un nouveau plat. Ça nous suffit.

PASTICCERIA RIZZARDINI

Pâtisseries €

041 5223835 ; Campiello dei Meloni 1415 ; 7h30-20h mer-lun ; San Silvestro

L'enseigne indique "depuis 1742", et l'on comprend vite le secret de la longévité de cette boulangerie : de succulents choux à la crème et de redoutables beignets. Repérez aussi les *lingue di suocere* ("langues de belle-mère"), les *pallone di Casanova* ("boules de Casanova") et autres spécialités vénitiennes aux noms impertinents. Et dépêchez-vous si vous voulez goûter le tiramisu.

PESCHERIA *Marché*

Rialto ; 7h-14h ; Rialto

Les poissonniers de ce marché – qui existe depuis 700 ans – sont aussi essentiels à la cuisine vénitienne que n'importe quel chef. Chaque question sur les poissons peut déclencher une conversation à bâtons rompus sur le renouveau de l'industrie de la pêche en Adriatique. Les pratiques de pêche durable ne datent pas d'hier : les plaques de marbre énonçant les règles relatives à la taille minimale des prises pour chaque espèce datent de plusieurs siècles. Voir aussi p. 14.

PIZZERIA ANTICO PANIFICIO *Boulangerie, pizza* €

Campiello del Sol 929 ; boulangerie 12h-15h et 19h-23h jeu-lun, restaurant 12h-15h et 19h-23h mer-lun ; San Silvestro

Si la plupart des pizzerias de Venise sont destinées aux touristes, cette boulangerie, qui possède un four à pizza, est une institution locale. Les tables installées dehors sont occupées en permanence : dès qu'une place se libère, précipitez-vous et commandez rapidement. Faites honneur à la créativité du chef en préférant une pizza aux anchois, aux fleurs de courgette ou autres garnitures de saison.

PRONTO PESCE PRONTO

Cicheti €€

041 8220298 ; Pescheria, Rialto 319 ; 9h-15h30 et 17h-19h30 ; Rialto

Le poisson de la Pescheria (ci-contre) est si frais que l'on pourrait le manger cru – justement, cette poissonnerie prépare de savoureux *crudi* ainsi que des salades de fruits de mer délicatement assaisonnées. On peut s'accouder au comptoir et commander un *prosecco* ou, mieux, aller déguster la salade de *folpeti* (petits calamars) et les *crudi* de crevettes, naturellement sucrées, sur les berges du Grand Canal.

MARCHÉS DU RIALTO

Marché

Rialto ; 7h-15h30 ; Rialto

Le choix de produits frais est stupéfiant. On atteint vite les cinq portions recommandées de fruits et

REPAS EN KIT

Si aucun restaurant ne vous tente, il y a toujours moyen de s'offrir un dîner sur mesure dans les marchés vénitiens. Si vous arrivez trop tard pour les **marchés du Rialto** (p. 14 et ci-contre), qui battent leur plein en matinée, un **marché flottant** (carte p. 110-111, D3 ; Campo San Barnaba, Dorsoduro) est installé le long du Campo San Barnaba. Sachez cependant que le vendeur est un grognon qui refuse parfois de vendre moins de 500 g : il sait bien que ses tomates et ses oranges sanguines sont irrésistibles… Non loin de là, le **marché de Dorsoduro** (carte p. 110-111, D2 ; Campo Santa Margherita, Dorsoduro) se tient en semaine. Les fruits et légumes jouxtent un petit marché de poissons dont le sol est couvert d'encre de seiche. Des plats à emporter sont proposés au comptoir traiteur et boulangerie de **Coop** (p. 104), et des plats de poisson chez **Pronto Pesce Pronto** (ci-contre). Pour arroser votre repas improvisé, remplissez une bouteille vide directement au tonneau chez **Nave d'Oro** (8h30-13h et 16h30-19h30 lun, mar, jeu-sam), qui possède des adresses à Cannaregio (carte p. 72-73, D4, F5), Castello (carte p. 60-61, A2, B2) et Dorsoduro (carte p. 110-111, D2).

Reste à savoir où s'installer. Les pique-niques sont interdits sur les places et dans les rues de Venise, mais pas sur les plages du **Lido** (p. 134), dans les jardins de la **Biennale** (p. 59), dans la cour de votre pension ni sur le balcon de votre hôtel donnant (peut-être) sur le Grand Canal.

légumes par jour ! Les montagnes de tomates juteuses, de légumes verts parfumés et de tendres *castraure* (jeunes artichauts) vous donneront des envies de salade. On croise entre les étals plus de photographes que de clients, mais les marchands vous feront peut-être goûter si vous préparez votre pique-nique. Voir aussi p. 14.

SNACK BAR AI NOMBOLI

Sandwichs €

041 5230995 ; Rio Terà dei Nomboli 271c ; 8h-20h lun-sam ; San Tomà

La réponse de Venise aux McDonald's est un dynamique restaurant où les petits pains croustillants sont généreusement garnis de fromages locaux, de salami, *prosciutto*, rôti de bœuf et autres viandes froides, de légumes grillés et de belles portions de verdure, et assaisonnés de moutarde épicée ou de sauce à l'ortie sauvage. Deux suffisent à remplir l'estomac, trois composent un festin.

TRATTORIA DA IGNAZIO

Cuisine vénitienne €€

041 5234852 ; Calle Saoneri 2749 ; 12h-15h et 19h-23h lun-sam ; San Silvestro

Ce restaurant a le charme de l'ancien : les poissons grillés de la lagune et les pâtes maison sont fièrement apportés par des serveurs élégants. La salle à manger, avec ses nappes jaunes et ses orchidées, ne vaut toutefois pas le jardin couvert de vignes où afflue tout le voisinage durant les beaux jours.

PRENDRE UN VERRE

AL MERCÀ *Bar à vin*

Campo Bella Vienna 213 ; 12h-15h et 17h-21h lun-sam ; Rialto

Dès 18h30, une foule plutôt jeune envahit la place et ce bar. Muni de son verre de vin ou de bière, chacun discute et grignote des *cicheti* qui feront office de dîner. Les vins au verre vont de 2 à 3,50 €, et les *cicheti* commencent à 1 € pour des boulettes de viande et des minipaninis. Attention, les meilleurs choix partent vite.

DO MORI *Bar à vin*

041 5225401 ; Sotoportego dei do Mori 429 ; 8h30-20h lun-sam ; Rialto

L'artère qui mène au Rialto, perpétuellement encombrée de touristes et de marchands, dissimule, dans une petite rue, ce bar d'un autre âge. Vous le reconnaîtrez aux gigantesques pots en cuivre luisants qui le décorent. On y sert dans une bonne ambiance de délicats sandwichs surnommés *francobolli* (littéralement "timbres-poste"). Venez tôt pour le choix de *cicheti* et les potins locaux.

MURO VINO E CUCINA

Bar à cocktails, bar à vin

041 523-7495 ; Campo Bella Vienna 222 ; 16h-1h lun-sam ; Rialto

En voyant le bar en aluminium, les lumières tamisées et les grandes fenêtres, on s'attendrait presque à trouver un tapis et une corde rouges à l'entrée. Les boissons sont néanmoins à prix doux, avec des vins au verre à partir de 2 € et des cocktails corrects à partir de 5 €. Le restaurant à l'étage est plus coûteux, mais cette adresse est intéressante surtout pour les *cicheti*, à déguster au bar ou sur une des tables de la place, en sirotant un verre en fin de soirée.

SACRO E PROFANO

Bar à vin

041 5237924 ; Ramo Terzo del Parangon 502 ; 19h-1h jeu-mar ; Rialto

Des musiciens, des artistes, des philosophes ésotériques et quelques excentriques fréquentent ce lieu dissimulé sous le Rialto et constituent une foule très pittoresque : on ne sait jamais qui va pousser la chansonnette ou éclater en invectives. Si vous vous prenez au jeu, commandez une généreuse portion de pâtes en écoutant un récital de poésie ou une démonstration de ska.

SORTIR

INTERPRETI VENEZIANI

Musique classique

☎ 041 2770561 ; www.interpreti veneziani.com ; Scuola Grande di San Rocco, Campo San Rocco 3052 ; adulte/étudiant et senior 24/19 € ; ouverture des portes 20h30 ; San Tomà

Il est temps de changer d'avis sur l'œuvre d'Antonio Vivaldi, généralement associé aux mélodies d'ascenseurs, de supermarchés ou des standards téléphoniques. Les musiciens des Interpreti Veneziani ont réussi à rendre tout son génie à ce compositeur. Après avoir assisté à un concert, vous n'écouterez sans doute plus jamais *Les Quatre Saisons* de la même oreille. Concentrez-vous, fermez les yeux, et vous percevrez le grondement des orages d'été sur la lagune et l'écho nocturne des passants pressés… Les solistes jouent sur des instruments originaux du XVIIIe siècle et ont su redonner toute sa modernité à cette musique. Le talent et le sens de la mise en scène semblent couler dans les veines de la famille Amadio (voir p. 129), dont trois membres figurent dans l'orchestre. Installée dans la Scuola Grande di San Rocco (p. 86), la formation joue tous

Les Interpreti Veneziani : en haut de l'affiche

les soirs avec la même ferveur. Voir p. 23 pour en savoir plus sur la musique baroque.

ARENA ESTIVA

Cinéma, théâtre

Campo San Polo ; juil-août ; San Tomà

Quand les "arènes d'été" investissent le vieux Campo San Polo, c'est l'occasion de voir des films, des concerts et des pièces en plein air. Tout au long de l'année, des manifestations, des réunions politiques et des concerts spontanés ont également lieu sur la place.

>SANTA CROCE

Voici le vrai visage de Venise, loin des quartiers touristiques. Santa Croce est un réseau de ruelles sinueuses pleines de studios d'artisans, de places (*campi*) où les enfants pédalent sur leurs tricycles sous le regard des adultes sirotant du *prosecco*. On y trouve des pizzerias bon marché, rendez-vous des couples d'adolescents, des repaires de la culture alternative ainsi que quelques musées, aussi charmants qu'insolites, occupant des palais historiques. Pour échapper à la frénésie qui règne dans le Rialto, traversez Santa Croce en direction de l'ouest. Vous admirerez en chemin des églises byzantines et des palais baroques, et dégusterez d'excellentes glaces (la pistache est le parfum préféré des Vénitiens). En dehors des musées et de quelques églises, le quartier présente peu de sites touristiques – et c'est bien là ce qui fait tout son charme. La circulation et les vendeurs de souvenirs laissent place à la rumeur tranquille des bars (*bacari*), au clapotis des canaux et à l'écho lent des pas dans les rues...

SANTA CROCE

VOIR

Ca' Pesaro	1	H2
Palazzo Mocenigo	2	G2
Ponte di Calatrava	3	B3

SHOPPING

CartaVenezia	4	G3
El Canapon	5	G3
Maredicarta	6	C4
Penny Lane Vintage	7	D5

SE RESTAURER

Ae Oche	8	F3
Al Nono Risorto	9	H3
Alaska Gelateria	10	E2
Coop	11	F2
Coop	12	B3
Gelateria San Stae	13	G2
Il Refolo	14	F2
Muro	15	G3
Osteria ae Cravate	16	D5
Osteria La Zucca	17	F2
Vecio Fritolin	18	G3

PRENDRE UN VERRE

Al Prosecco	19	F2
La Rivetta	20	D3

SORTIR

Ai Postali	21	E3

Voir la carte p. 100-101

VOIR

CA' PESARO

041 721127 ; www.museicivici veneziani.it ; Fondamenta di Ca' Pesaro 2076 ; adulte/enfant 6 à 14 ans UE, étudiant UE et plus de 65 ans UE 5,50/3 € ; 10h-18h mar-dim avr-oct, 10h-17h mar-dim nov-mars ; San Stae

Ce musée insolite, installé dans un palais conçu par Baldassare Longhena en 1710, réconciliera les amateurs d'art moderne et d'antiquités japonaises. Au rez-de-chaussée, la Galleria d'Arte Moderna conserve des œuvres des débuts de la Biennale, notamment des paysages et des scènes vénitiennes du XIXe siècle (en particulier de Giacomo Favretto). La direction de la Biennale repéra et acquit aussi des œuvres maîtresses d'autres pavillons nationaux comme la *Judith II* (*Salomé*) peinte par Gustav Klimt en 1909 ou le *Rabbin de Vitebsk* (1914-1922) de Marc Chagall. La famille Pesaro commanda en 1901 le portrait de Letizia à Giacomo Balla, qui allait embrasser le futurisme. Enfin, le legs De Lisi en 1961 ajouta des Kandinsky et des Morandi à la collection. À l'étage se trouve une véritable curiosité : les objets exposés dans le Museo Orientale

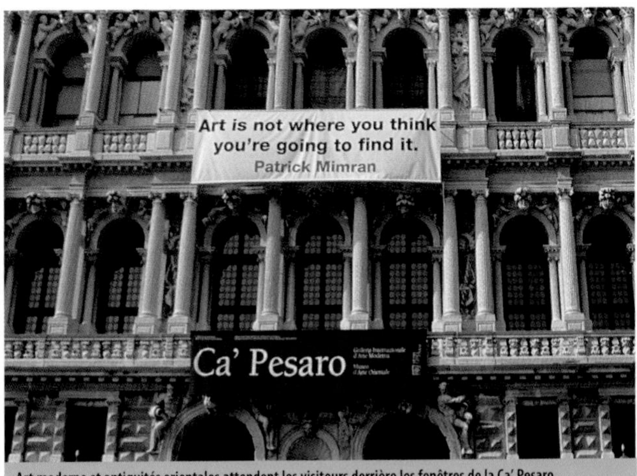

Art moderne et antiquités orientales attendent les visiteurs derrière les fenêtres de la Ca' Pesaro

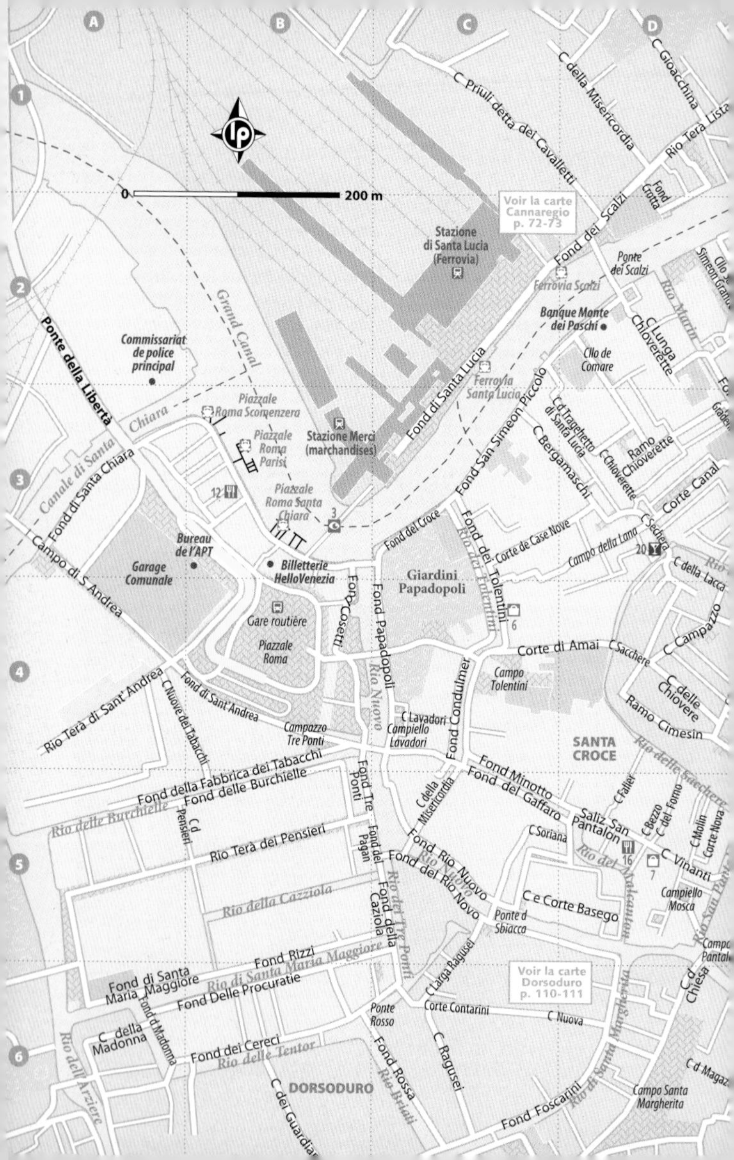

A
B
C
D
1
2
3
4
5
6
0
200 m
Voir la carte Cannaregio p. 72-73
Voir la carte Dorsoduro p. 110-111
C Priuli detta dei Cavalletti
C della Misericordia
C Gioacchina
Rio Terà Lista
Fond Grotta
Fond dei Scalzi
Stazione di Santa Lucia (Ferrovia)
Ferrovia Scalzi
Ponte dei Scalzi
Banque Monte dei Paschi
C Lunga Chioverette
Rio Marin
Cllo de Comare
Grand Canal
Commissariat de police principal
Ponte della Libertà
Canale di Santa Chiara
Piazzale Roma Scomenzera
Piazzale Roma Parisi
Piazzale Roma Santa Chiara
Stazione Merci (marchandises)
Fond di Santa Lucia
Ferrovia Santa Lucia
Fond San Simeon Piccolo
C d Traghetto di Santa Lucia
C Bergamaschi
C Chioverette
Ramo Chioverette
Corte Canal
Fond di Santa Chiara
Campo di S Andrea
12
Bureau de l'APT
Garage Comunale
3
Billetterie HelloVenezia
Fond del Croce
Fond dei Tolentini
Rio dei Tolentini
Corte de Case Nove
Campo della Lana
C Sechera
20
C della Lacca
Giardini Papadopoli
Gare routière
Piazzale Roma
Fond Cosetti
Fond Papadopoli
Rio Nuovo
6
Corte di Amai
C Sacchere
C Campazzo
Campo Tolentini
C delle Chiovere
Ramo Cimesin
Rio Terà di Sant'Andrea
C Nuove dei Tabacchi
Fond di Sant'Andrea
Campazzo Tre Ponti
C Lavadori
Campiello Lavadori
Fond Condulmer
SANTA CROCE
Rio delle Sacchere
Fond della Fabbrica dei Tabacchi
Fond delle Burchielle
Rio delle Burchielle
C d Pensieri
Fond Tre Ponti
C della Misericordia
Fond Minotto
Fond del Gaffaro
Saliz San Pantalon
C Falier
C Bezzo
C del Forno
C Molin
Corte Nova
Rio Terà dei Pensieri
Fond del Pagan
C Soriana
Fond Rio Nuovo
Fond del Rio Novo
Rio del Malcanton
16
7
C Vinanti
Campiello Mosca
Rio della Cazziola
Fond della Caziola
Rio dei Tre Ponti
C e Corte Basego
Ponte d Sbiacca
Campo San Pantalon
Fond Rizzi
Rio di Santa Maria Maggiore
Fond di Santa Maria Maggiore
Fond Delle Procuratie
C Larga Ragusei
Corte Contarini
C Nuova
C d Chiesa
Ponte Rosso
C della Madonna
Fond d Madonna
Rio dell'Arziere
Fond dei Cereci
Rio delle Tentor
C Ragusei
Fond Rossa
Rio Briati
Rio di Santa Margherita
C d Magazen
DORSODURO
C dei Guardiani
Campo Santa Margherita
Fond Foscarini

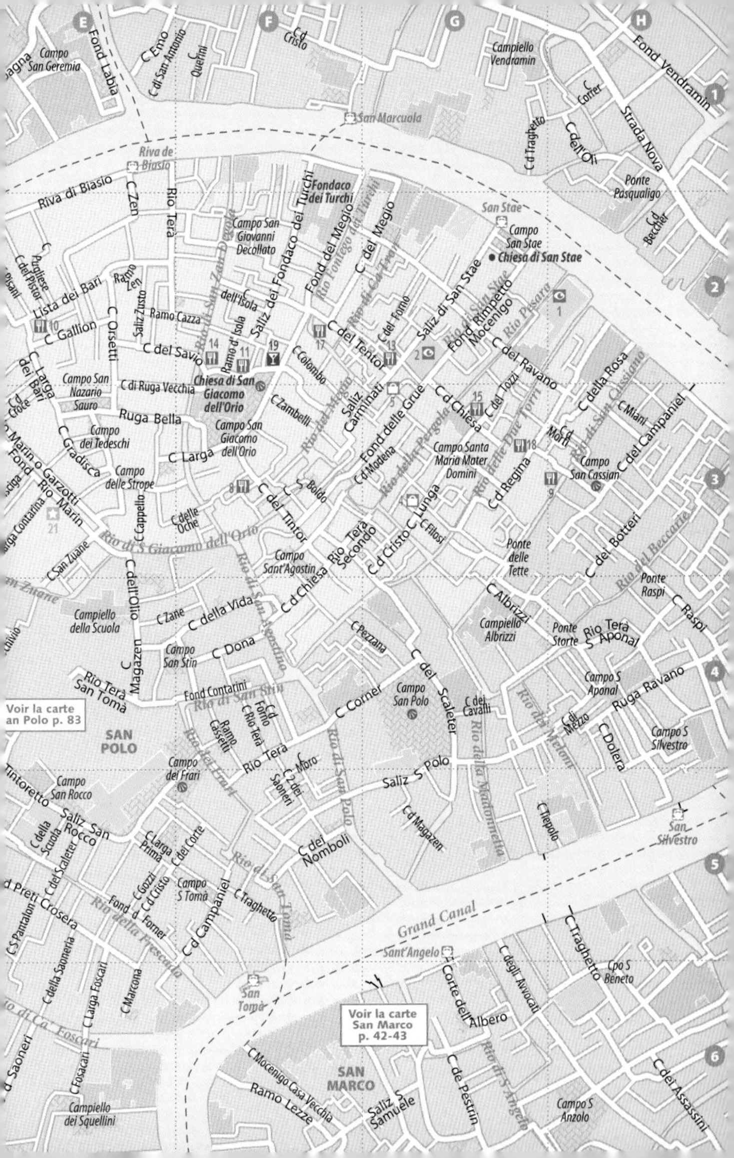

E
F
G
H
1
2
3
4
5
6
Campo San Geremia
Fond Labia
C Emo
C di San Antonio
C Querini
Cd Cristo
Campiello Vendramin
Fond Vendramin
C Correr
San Marcuola
Strada Nova
C d Traghetto
C dell'Oli
Riva de Biasio
Riva di Biasio
C Zen
Rio Terà
Fondaco dei Turchi
Ponte Pasqualigo
Campo San Giovanni Decollato
Fond del Megio
C del Megio
San Stae
Campo San Stae
Chiesa di San Stae
C d Becher
Salizz dei Fondaco dei Turchi
Rio Fontego dei Turchi
C Pugliese
C del Pistor
Lista dei Bari
Ramo Zen
Saliz Zusto
Ramo Cazza
C dell'Isola
C del Forno
Saliz di San Stae
Fond Rimpetto Mocenigo
Rio Pisani
C Gallion
C Orsetti
C del Savio
Ramo d'Isola
C del Tentor
C Colombo
C del Ravano
C della Rosa
C Larga dei Bari
Campo San Nazario Sauro
C di Ruga Vecchia
Chiesa di San Giacomo dell'Orio
Saliz Carminati
C d Chiesa
C del Tozzi
C Miani
C del Campaniel
Cd Croce
Ruga Bella
C Zambelli
Fond delle Grue
C d Morti
Campo dei Tedeschi
C Gradisca
Campo San Giacomo dell'Orio
Rio della Pergola
Campo Santa Maria Mater Domini
Rio delle Due Torri
Campo San Cassian
Rio di San Cassiano
Fond Marin o Garzotti
C Larga
C d Modena
C d Regina
Campo delle Strope
C S Boldo
C Lunga
Rio Marin
C Cappello
C delle Oche
C del Tintor
C Filosi
C dei Botteri
Rio di S Giacomo dell'Orio
Rio Terà Secondo
C d Cristo
Ponte delle Tette
Rio del Beccarie
C San Zuane
C dell'Olio
Campo Sant'Agostin
C d Chiesa
Ponte Raspi
C Raspi
Rio di San Agostino
C Albrizzi
Campiello Albrizzi
Campiello della Scuola
C Zane
C della Vida
Ponte Storte
Rio Terà S Aponal
C Pezzana
Campo San Stin
C Dona
C del Scaleter
C Magazen
Campo S Aponal
Ruga Ravano
Rio Terà San Tomà
Fond Contarini
Rio di San Stin
C Corner
Campo San Polo
C dei Cavalli
Rio dei Meloni
Voir la carte San Polo p. 83
SAN POLO
Ramo Cassetti
C Rio Terà
Cd Forno
C di Mezzo
C Dolera
Campo S Silvestro
Rio della Madonnetta
Campo dei Frari
Rio dei Frari
Rio Terà
C Moro
C 2 dei Saoneri
Rio di San Polo
Saliz S Polo
Campo San Rocco
Tintoretto
C Tiepolo
Saliz San Rocco
C della Scuola
C del Scaleter
C Larga Prima
C del Corte
Cd Magazen
C dei Nomboli
San Silvestro
d Preti Crosera
C Gozzi
C d Cristo
Campo S Tomà
Rio di San Tomà
C Traghetto
Fond d Forner
Rio della Frescada
C d Campaniel
Grand Canal
C Traghetto
C S Pantalon
C della Saonerìa
C Larga Foscari
C Marcona
San Tomà
Sant'Angelo
Corte dell'Albero
C degli Avvocati
Cpo S Beneto
Voir la carte San Marco p. 42-43
Rio di Ca' Foscari
C Saoneri
C Fosca
C Mocenigo Casa Vecchia
SAN MARCO
C de Pestrin
Rio di S Angelo
C dei Assassini
Ramo Lezze
Saliz S Samuele
Campo S Anzolo
Campiello dei Squellini

En rouge et noir… et indémodable !

furent rapportés d'Asie entre 1887 et 1889 par le prince Enrico di Borbone. La collection comprend ainsi sabres, *netsuke* (sculptures miniatures), instruments et écritoires en laque d'Edo, entre autres 30 000 objets d'art.

PALAZZO MOCENIGO

041 721798 ; www.museicivici veneziani.it ; Salizada di San Stae 1992 ; adulte/enfant 6 à 14 ans UE, étudiant UE et plus de 65 ans UE 4/2,50 € ; 10h-17h mar-dim avr-oct, 10h-16h mar-dim nov-mars ; San Stae

Ce musée des costumes et du textile occupe les luxueux salons du XVIIIe siècle d'un palais gothique bordant le Grand Canal. On imagine aisément les amours naissantes sous les plafonds peints et les négociations pour l'élection du doge (le dirigeant de Venise) dans la bibliothèque. Sept membres de la famille à laquelle appartenait le palais occupèrent d'ailleurs cette fonction.
Les costumes sont astucieusement disposés : un corset dans la chambre de la comtesse, des robes en damas rose au décolleté profond dans le salon rouge et celles, amples et rouge sombre, des magistrats dans la salle à manger.

PONTE DI CALATRAVA

Ferrovia, Piazzale Roma

Le pont Calatrava, qui vient juste d'ouvrir à la circulation piétonne, a déjà été l'objet de nombreuses critiques : une queue-de-poisson, superflu, élégant mais impraticable en fauteuil roulant… Ce fut surtout, de l'avis général, un gouffre budgétaire qui a pris vraiment beaucoup de retard. Estimée à environ 4 millions d'euros en 2001, la construction a en effet coûté le triple. Forgez-vous votre propre opinion et participez aux débats : le pont est le sujet de conversation favori des Vénitiens à l'heure de l'apéritif.

SHOPPING

CARTAVENEZIA *Papeterie*

041 5241283 ; Calle Lunga 2125 ; 15h30-19h30 lun, 11h-13h et 15h30-19h30 mar-sam ; San Stae

Contrairement à la tradition qui règne à Venise depuis 150 ans, CartaVenezia n'est pas spécialisé dans le papier marbré mais dans le papier de coton gaufré et sculpté à la main. Alliant techniques anciennes et chic industriel moderne, les bols et les abat-jour rayés, les bijoux en papier moulé rehaussés d'acier et les frises abstraites méritent une place de choix dans votre salon.

EL CANAPON *Mode, cadeaux*

041 2440247 ; Salizada de San Stae 1906 ; San Stae

À Venise, la culture alternative se manifeste dans les lieux les plus inattendus, comme le démontre El Canapon. Savourez d'abord une glace à la *gelateria*, en face, avant de venir essayer de jolis vêtements en chanvre et des sacs en bandoulière psychédéliques, idéaux pour transporter vos 33 tours. Le personnel vous indiquera les spectacles et les manifestations à venir.

MAREDICARTA *Livres, librairie nautique*

041 716304 ; www.maredicarta.com ; Fondamenta dei Tolentini ; 9h-13h et 15h30-19h30 lun-sam ; Ferrovia

Paradis des marins et des navigateurs du dimanche, cette librairie vend toutes les cartes et les ouvrages de navigation possibles – l'ensemble des livres de référence pour explorer la lagune, entretenir son navire ou repérer la faune aquatique. Après quelques jours à Venise, vous envisagerez peut-être d'apprendre à ramer ou d'acheter un bateau : Maredicarta sera alors votre première étape. Le magasin propose aussi des cours de navigation : demandez les horaires.

PENNY LANE VINTAGE *Mode, commerce équitable*

041 5244134 ; www.pennylanevintage.com ; Salizada San Pantalon ; 9h30-20h30 lun-sam ; Ferrovia

Si vous préférez les immenses lunettes de soleil italiennes des années 1960 aux masques de carnaval, vous trouverez sans doute votre bonheur chez Penny Lane. Les créations s'inspirent aussi bien de la Venise d'antan que de la mode londonienne des années 1960. On y trouve par exemple des chemises Ben Sherman, des impers jaunes à passepoil blanc ou encore des polos à rayures ultramoulants. Les vêtements de créateurs sont vendus à l'entrée. L'arrière de la boutique est le royaume des articles d'occasion : 10 € l'imper et 5 € le polo d'homme rayé des années 1970.

SE RESTAURER

AE OCHE *Pizza* €

041 5241161 ; www.aeoche.com ; Calle del Tintor 1552a ; 12h-14h20 et 19h-22h30 lun-ven, 12h-14h20 et 19h-23h30 sam et dim ; San Stae

Si de vieilles publicités pour les patates douces de la marque américaine Champ Louisiana ornent les murs, la clientèle et les 70 pizzas du menu sont, elles, 100% vénitiennes. Les plus aventureux choisiront l'*Equino* (viande de cheval au citron) ou la *Mangiafuoco* ("cracheur de feu", salami épicé, piment et tabasco). Les habitués préfèrent la *Tonnata* (thon, câpres et oignons) et l'*Estiva* (roquette, *grana padano* frais et tomates cerises).

AL NONO RISORTO

Cuisine vénitienne, pizza €€

041 5241169 ; Sotoportego de Siora Bettina 2338 ; 12h-15h et 18h-22h jeu-mar ; San Stae

Chez Al Nono Risorto,la carte affiche la liste des pizzas mais aussi quelques slogans militants : "N'abandonnez pas les animaux !", "Égalité pour les gays !", etc. Les prix sont gauchistes, les serveurs semblent considérer les commandes comme une émanation de la culture bourgeoise, mais, par beau temps, le Tout-Venise afflue dans le jardin pour goûter les calamars servis avec de la polenta, le *prosecco* maison à petit prix et l'ambiance contestataire.

ALASKA GELATERIA

Glaces, cuisine biologique €

041 715211 ; Calle Larga dei Bari 1159 ; 9h-13h et 15h-20h ; Riva de Biasio

Si les enfants affectionnent les glaces bleues ou celle au chewing-gum, les gourmets les préfèrent bio et rehaussées d'un zeste de créativité. Alaska confectionne en effet de délicieuses glaces aux pistaches bio grillées, et même aux artichauts ! On peine à croire que cette mousse salée, à peine sucrée et au subtil goût de menthe est en fait à l'artichaut. Elle se marie d'ailleurs divinement avec celle au citron. La combinaison céleri/pêche vous étonnera peut-être, mais à 1,60 € le double cornet vous pouvez prendre quelques risques.

COOP *Supermarché*

041 2960621 ; Piazzale Roma ; 9h-13h et 16h-19h30 lun-sam ; Piazzale Roma

Installez-vous sur une place ou au bord d'un canal et offrez-vous un pique-nique inoubliable : le supermarché Coop propose d'excellents produits à emporter. Le magasin du Piazzale Roma est le plus grand supermarché du centre-ville et sa sélection d'olives et de charcuterie est tout simplement sublime. Il y a également un Coop sur le Campo San Giacomo dell'Orio.

GELATERIA SAN STAE *Glaces* €

041 710689 ; Salizada di San Stae 1910 ; 11h-21h mar-dim ; San Stae

Les glaces vendues ici, à la fois simples et raffinées, sont à base d'ingrédients locaux aussi bien qu'exotiques, des noisettes du Piémont à la vanille de Madagascar. Pourquoi se contenter du simple cône vanille à 1 € quand, moyennant 2 €, vous obtenez un succulent double cornet à la pistache locale ?

IL REFOLO *Nouvelle cuisine vénitienne, pizza* €€

041 5240016 ; Campo San Giacomo dell'Orio 1459 ; 19h-24h mar, 11h-16h et 19h-24 mer-dim ; Riva di Biasio

Il Refolo se distingue par ses pizzas inattendues et son atmosphère. Les tarifs sont plus élevés qu'ailleurs, mais, par une journée ensoleillée ou une belle soirée d'été, un repas arrosé d'un excellent vin et servi en terrasse sur la place est inoubliable. Les pizzas sont proposées seulement d'avril à octobre, et toutes les garnitures sont de saison. Avec un peu de chance, vous pourrez déguster une pizza aux fleurs de courgette et au fromage *crescenza*, ou au *lardo* (lard salé) et aux *castraure* (jeunes artichauts).

MURO *Pizza* €€

041 5241628 ; www.murovenezia.com ; Campiello dello Spezier 2048 ; 12h-23h ; San Stae

Tranquille au déjeuner, branché durant la *happy hour* et chic au dîner : entre restaurant, bar et pizzeria, cette adresse a tout pour plaire. Choisissez une table en terrasse ou l'une des confortables banquettes en cuir blanc et soie rayée, sous les murs en brique nue. Les pizzas offrent des garnitures créatives sans vous ruiner, l'éclairage est tamisé et la carte des bières et des vins, au-dessus de la moyenne. Idéal pour une soirée en amoureux.

OSTERIA AE CRAVATE *Cuisine vénitienne* €€

041 5287912 ; Salizada San Pantalon 36 ; 9h30-16h et 18h-23h mar-dim ; Riva de Biasio

Le clou de la collection de cravates rassemblée par Bruno est un spécimen à motifs de moustiques offert par un entomologiste britannique affamé ! Pendues au plafond, toutes les cravates ont été cédées par des dîneurs amateurs de pâtes fraîches. Pas d'insolence : évitez de commander des pâtes en nœud papillon et optez plutôt pour les raviolis à la sauge et au beurre brun, ou les *tagliolitti* aux crevettes et aux fleurs de courgette. Gardez quand même un peu de place pour les desserts maison.

La cuisine de l'Osteria La Zucca ? Pleine de saveurs...

OSTERIA LA ZUCCA

Cuisine méditerranéenne €€

041 5241570 ; www.lazucca.it ; Calle del Tentor 1762 ; 12h30-14h30 et 19h-22h30 lun-sam ; San Stae

Trop faim pour des *cicheti* (tapas vénitiennes) et pas assez pour un plat de pâtes ? La Zucca a ce qu'il vous faut. Les petites assiettes de fruits et légumes méditerranéens (5-8 €) allient produits locaux et influences orientales : courgettes relevées au gingembre, carottes au yaourt parfumées au curry, et gâteau de riz accompagné de fraises. Avec le rôti d'agneau, les carnivores ne seront pas lésés, mais les végétariens sont réellement à l'honneur.

VECIO FRITOLIN

Nouvelle cuisine vénitienne, cuisine biologique €€€

041 5222881 ; www.veciofritolin.it ; Calle della Regina 2262 ; 12h-14h30 et 19h-22h30 mar-dim ; San Stae

Couronné par de nombreux prix Slow Food (comme en témoigne la vitrine couverte de récompenses), ce restaurant est prisé des amateurs de cuisine italienne qui n'ont pas peur d'une note salée. Quelques exemples de créations récentes : tendre araignée de mer sur un lit de *tagliolini* de betterave servie dans sa carapace, savoureuse soupe d'orties, côtelettes d'agneau au four aux oignons doux et pommes de terre rôties. Tous les ingrédients sont soigneusement sélectionnés sur les marchés du Rialto (conserves et surgelés sont bannis) : n'hésitez pas à demander conseil à votre serveur. Les plus pressés opteront pour le poisson frit à emporter (10 €).

PRENDRE UN VERRE

AL PROSECCO *Bar à vin*

041 5240222 ; Campo San Giacomo dell'Orio 1503 ; 8h-22h ; Riva di Biasio

Ce bar, caché sur une ravissante place, sert sans chichis de succulents *prosecco* et d'autres vins de Vénétie. Videz votre verre sous les parasols ou au bar, avec les Vénitiens, puis, lorsque les bulles commencent à vous monter à la tête, partagez une grande assiette de viandes séchées ou de fromages locaux. L'ambiance est si conviviale que vous serez sans doute tenté d'en offrir à vos voisins.

LA RIVETTA *Pub*

Calle Sechera 637a ; 9h-21h30 lun-sam ; Ferrovia

Le cabernet franc et les portions généreuses font le succès de ce bar auprès des gondoliers et des excentriques du quartier. L'assiette garnie d'épais morceaux de salami, de fines tranches de pancetta et de légumes grillés est accompagnée de pain croustillant. Installez-vous près du canal, ou à l'intérieur pour admirer le décor fait de pièces de vélo et de bouteilles poussiéreuses de gin anglais vidées avant la guerre. Une tournée vous vaudra la sympathie générale.

SORTIR

AI POSTALI *Concerts*

041 715156 ; Fondamenta Rio Marin 421 ; 18h-2h lun-sam ; Rivo di Biasio

Inutile de chercher le programme des concerts dans le journal : ils sont complètement spontanés. Des CD de jazz dominent généralement jusqu'à 22h, après quoi des musiciens locaux se retrouvent autour d'un *spritz* (cocktail à base de *prosecco*) au bar et, après quelques verres, se lancent dans des improvisations. C'est l'un des rares établissements de Venise dont la fresque murale ne semble pas bêtement touristique. Tout est question d'authenticité…

>DORSODURO

Dans d'autres villes, les quartiers populaires attirant les artistes sont des lieux excentrés et un peu douteux… À Venise, il en va autrement. Dorsoduro, qui occupe le cœur de la cité, compte plusieurs palais surplombant le Grand Canal : la Ca' Rezzonico, la collection Peggy Guggenheim et les Gallerie dell'Accademia. Dorsoduro se distingue ainsi plus par ses trésors que par son charme canaille ! Véronèse couvrit sa petite église de quartier de chefs-d'œuvre, Giambattista Tiepolo et Baldassare Longhena déployèrent leur talent dans un couvent qui servait d'auberge, et Tadao Ando, architecte japonais minimaliste, devrait achever de transformer les anciens entrepôts de la Punta della Dogana en espace dévolu à l'art contemporain. Malgré tant de richesses, Dorsoduro n'a rien perdu de sa simplicité. Les riverains se retrouvent à l'apéritif sur le Campo Santa Margherita, attendent tranquillement leurs glaces sur les Zattere et négocient leurs tomates sur la péniche du marché flottant situé le long du Campo San Barnaba.

DORSODURO

VOIR

Ca' Rezzonico ... 1 E3
Chiesa dei Gesuati ... 2 E5
Chiesa di San Sebastiano 3 B4
Chiesa di Santa Maria della Salute ... 4 G5
Gallerie dell'Accademia .. 5 E4
Collezione Peggy Guggenheim ... 6 F4
Ponte dell'Accademia ... 7 E4
Punta della Dogana ... 8 H5
Scuola Grande dei Carmini ... 9 C3
Squero di San Trovaso ... 10 D5

SHOPPING

Antichità Teresa Ballarin ... 11 D3
Aqua Altra ... 12 C3
Gualti ... 13 D3
Il Pavone ... 14 F5
L'Angolo del Passato ... 15 D3
Libreria del Campo ... 16 C3
Madera ... 17 D3
Marina e Susanna Sent ... 18 F5
Pastor ... 19 G5

SE RESTAURER

Ai Gondolieri ... 20 F5
Ai Sportivi ... 21 D3
Antica Pasticceria Tonolo ... 22 D2
Da Nico ... 23 D5
Enoteca Ai Artisti ... 24 D4
ImprontaCafé ... 25 D2
Pasticceria Gobbetti ... 26 D3
Pizza Al Volo ... 27 C3
Ristorante Cantinone Storico ... 28 F5
Ristorante La Bitta ... 29 D4
Ristoteca Oniga ... 30 D3
Trattoria Dona Onesta ... 31 E2

PRENDRE UN VERRE

Café Noir ... 32 D2
Caffè Rosso ... 33 D2
Cantinone 'Gia Schiavi' ... 34 E5
Imagina Café ... 35 D3
Osteria alla Bifora ... 36 C3
Tea Room Beatrice ... 37 C4

SORTIR

Ca' Macana ... 38 D3
Istituto Venezia ... 39 D3
Venice Jazz Club ... 40 D3

Voir la carte p. 110-111

VOIR

CA' REZZONICO

041 2410100 ; www.museicivici veneziani.it ; Fondamenta Rezzonico 3136 ; adulte/citoyen de l'UE 6-14 ans, étudiant et plus de 65 ans 6,50/4,50 € ; 10h-18h mer-lun avr-oct, 10h-17h mer-lun nov-mars, fermeture du guichet 1 heure avant ; Ca' Rezzonico

Le musée du XVIIIe siècle vénitien vous éblouira, tout comme le palais, conçu par Longhena, qui l'abrite. La collection est exposée dans de luxueux salons de musique et de somptueux boudoirs. Il y a même une pharmacie où sont conservés des scorpions médicinaux. Dans les fresques qui ornent les plafonds de plusieurs salons, Tiepolo flatte clairement son client. Dans celle de la salle du Trône (*Allégorie du Mérite*), le Mérite monte au temple de la gloire, serrant le *Libro d'Oro* contenant les noms des nobles vénitiens – et de la famille Rezzonico, bien entendu. Ne manquez pas non plus les satires sociales de Pietro Longhi, *Le Philosophe au livre* du Guerchin et les vues pointillistes des canaux d'Emma Ciardi. La salle de bal accueille des concerts de l'orchestre de musique de chambre de Venise. Voir aussi p. 22.

CHIESA DEI GESUATI

041 5230625 ; Zattere 918 ; adulte/moins de 5 ans 3 €/gratuit, gratuit avec le forfait Chorus ; 10h-17h lun-sam ; Zattere

Si l'art baroque vous laisse encore de marbre, levez les yeux. Dans les panneaux réalisés sur ce plafond entre 1737 et 1739, Tiepolo a recours à des perspectives architecturales et à des couleurs splendides pour évoquer la vie de saint Dominique. À droite de la nef, *Le Pape Pie V et saint Pierre et saint Thomas d'Aquin martyrs*, peint de 1730 à 1733 par Sebastiano Ricci, autre virtuose de la lumière originaire de Venise, offre un contraste frappant avec la *Crucifixion* du Tintoret (1565), dans laquelle dominent les rouges et les verts sombres. Dans cette église, le baroque vénitien sort de la période sombre de la peste.

CHIESA DI SAN SEBASTIANO

041 5282487 ; Campo San Sebastiano ; entrée 3 €, gratuit avec le forfait Chorus ; 10h-17h lun-sam ; San Basilio

Il n'y a qu'à Venise qu'une simple église de quartier abrite autant de chefs-d'œuvre. Les chevaux peints par Véronèse semblent ruer et sortir de leurs cadres, les anges sont d'un étonnant réalisme et même les portes de l'orgue ont été peintes des deux côtés par l'artiste. D'après la légende, Véronèse aurait trouvé refuge ici en 1555, alors qu'il fuyait Vérone où il était accusé de meurtre. Il en conserva une immense reconnaissance pour la paroisse. C'est à la lumière

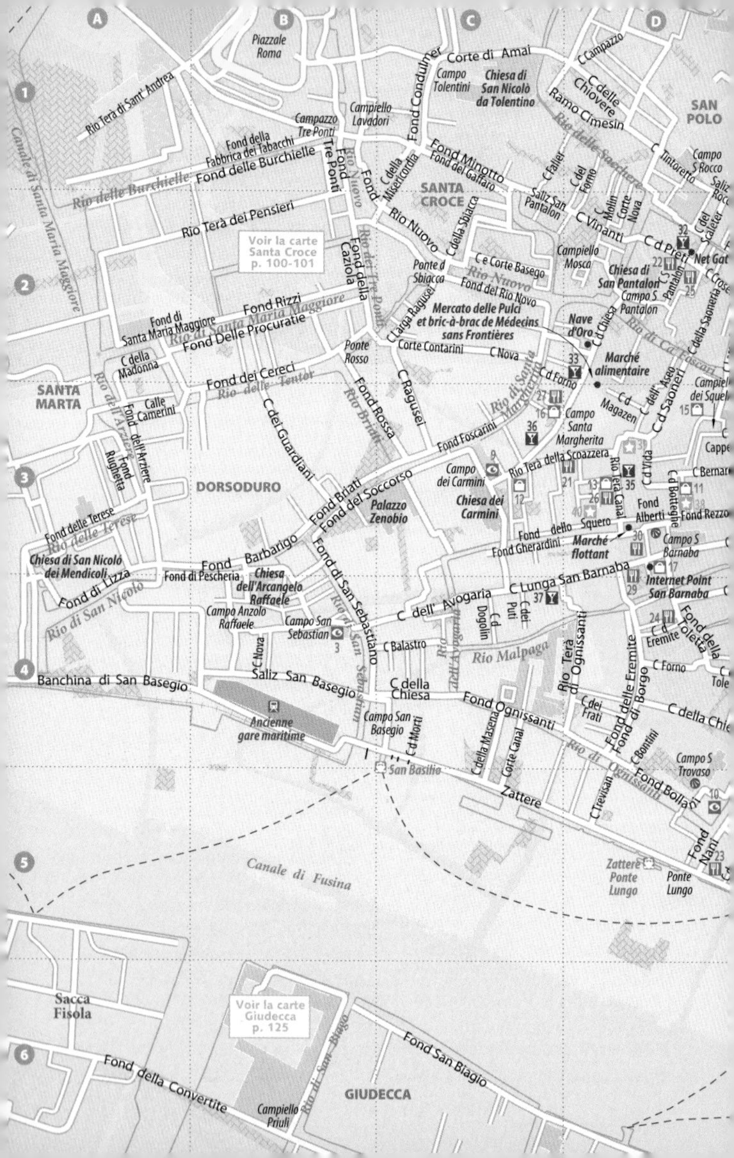

A
B
C
D
1
2
3
4
5
6
Piazzale Roma
Corte di Amai
C Campazzo
Campo Tolentini
Chiesa di San Nicolò da Tolentino
C delle Chiovere
Ramo Cimesin
SAN POLO
Rio Terà di Sant' Andrea
Campiello Lavadori
Campazzo Tre Ponti
Fond Condulmer
Rio delle Sacchere
Fond della Fabbrica dei Tabacchi
Fond delle Burchielle
Fond Tre Ponti
Rio Nuovo
Fond Minotto
Fond del Gaffaro
C Tintoretto
Campo S Rocco
C della Misericordia
C Falier
C del Forno
Rio delle Burchielle
Canale di Santa Maria Maggiore
SANTA CROCE
Salìz San Pantalon
C Molin
Corte Nova
Rio Terà dei Pensieri
Fond
Rio Nuovo
C della Sbiacca
C Vinanti
C d Preti
Net Gat
Voir la carte Santa Croce p. 100-101
Fond della Caziola
Rio dei Tre Ponti
Campiello Mosca
C del Scaleter
Ponte d Sbiacca
C e Corte Basego
Chiesa di San Pantalon
Rio Nuovo
Fond del Rio Novo
C S Pantalon
Campo S Pantalon
Fond Rizzi
Rio di Santa Maria Maggiore
Fond di Santa Maria Maggiore
Fond Delle Procuratie
C Larga Ragusei
Mercato delle Pulci et bric-à-brac de Médecins sans Frontières
Nave d'Oro
C d Chiesa
Rio di Ca' Foscari
C della Saoneria
C della Madonna
Ponte Rosso
Corte Contarini
C Nova
33
Marché alimentaire
Fond dei Cereci
Rio delle Tentor
C d Forno
C dell' Aseo
SANTA MARTA
Rio dell'Arziere
Fond dell'Arziere
Calle Camerini
C dei Guardiani
Fond Rossa
Rio Briati
C Ragusei
Rio di Santa Margherita
27
16
Campo Santa Margherita
C d Magazen
C d Saoneri
Campiello dei Squellini
15
Fond Rughetta
36
Fond Foscarini
Rio Terà della Scoazzera
31
Cappe
9
Campo dei Carmini
Rio Terà Canal
C d Vida
C Bernardo
DORSODURO
21
13
35
11
12
26
C d Botteghe
Chiesa dei Carmini
Fond Briati
Fond del Soccorso
Palazzo Zenobio
38
Fond Alberti
Fond Rezzonico
40
Fond delle Terese
Rio delle Terese
Fond dello Squero
30
Campo S Barnaba
Fond Gherardini
Marché flottant
Chiesa di San Nicolò dei Mendicoli
Fond Barbarigo
Fond di Pescheria
Chiesa dell'Arcangelo Raffaele
17
Fond di Lizza
Rio di San Nicolò
Fond di San Sebastiano
C Lunga San Barnaba
29
Internet Point San Barnaba
C dell' Avogaria
37
Campo Anzolo Raffaele
Campo San Sebastian
3
C d Dogolin
C dei Puti
24
C d Eremite
Fond della Toletta
C Nova
Rio di San Sebastian
C Balastro
Rio dell'Avogaria
Rio Malpaga
Rio Terà di Ognissanti
C Forno
Banchina di San Basegio
Saliz San Basegio
C della Chiesa
Fond delle Eremite
Fond di Borgo
Fond Ognissanti
C dei Frati
C della Chiesa
Ancienne gare maritime
Campo San Basegio
C d Morti
C della Masena
Corte Canal
C Bontini
Rio di Ognissanti
Campo S Trovaso
San Basilio
C Trevisan
Fond Bollani
10
Zattere
Fond Nani
5
Canale di Fusina
Zattere Ponte Lungo
Ponte Lungo
23
Sacca Fisola
Voir la carte Giudecca p. 125
Fond San Biagio
Rio di San Biagio
Fond della Convertite
GIUDECCA
Campiello Priuli

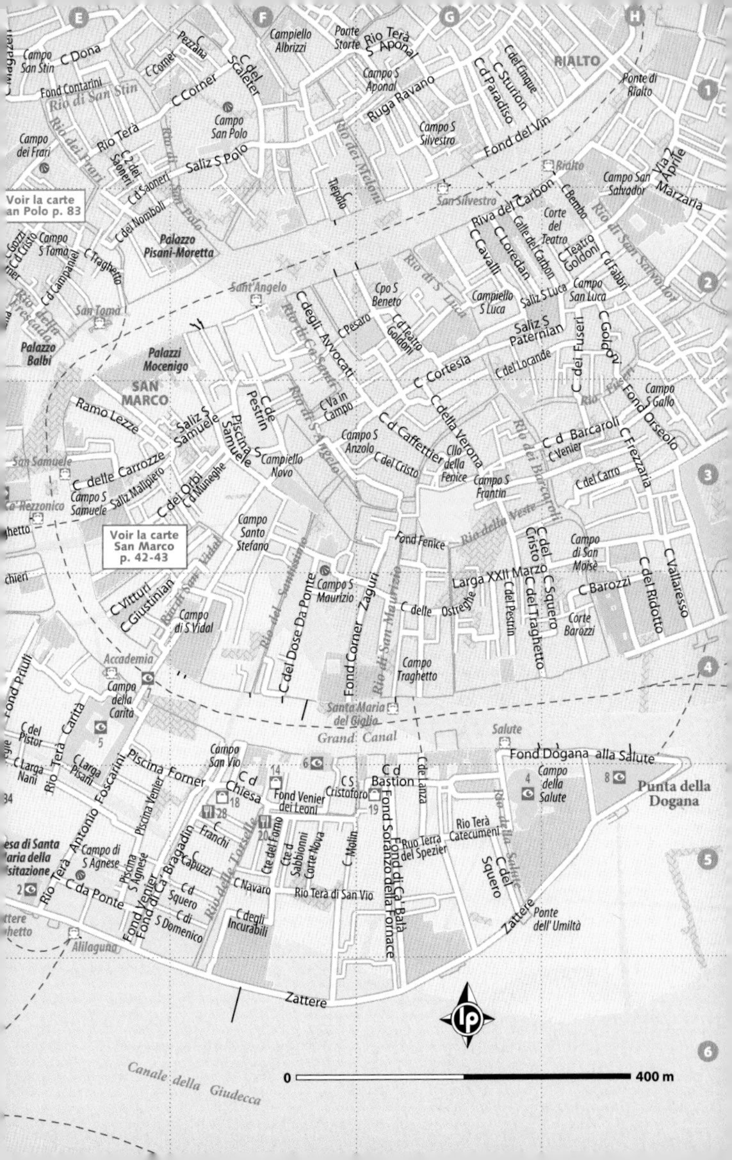

E
F
G
H
1
2
3
4
5
6
Campo San Stin
C Dona
C Pezzana
C Corner
C del Scaleter
Campiello Albrizzi
Ponte Storte
Rio Terà S Aponal
RIALTO
C del Cinque
C Sturion
C d Paradiso
Ponte di Rialto
Fond Contarini
Rio di San Stin
C Corner
Campo San Polo
Campo S Aponal
Ruga Ravano
Campo dei Frari
Rio dei Frari
Rio Terà
C 2 dei Saoneri
Saliz S Polo
Rio dei Meloni
Campo S Silvestro
Fond del Vin
Voir la carte San Polo p. 83
C d Saoneri
Rio di San Polo
Tiepolo
San Silvestro
Rialto
Campo San Salvador
Via 2 Aprile
Marzaria
C dei Nomboli
Palazzo Pisani-Moretta
Riva del Carbon
C Bembo
Corte del Teatro
Rio di San Salvador
C Gozzi
C d Cristo
Campo S Tomà
C Campaniel
C Traghetto
C Cavalli
C Loredan
Calle del Carbon
C Teatro Goldoni
C d Fabbri
Rio di S Luca
Sant'Angelo
Cpo S Beneto
Campiello S Luca
Saliz S Luca
Campo San Luca
San Tomà
Rio della Fressada
C degli Avvocati
C Pesaro
C d Teatro Goldoni
Saliz S Paternian
C Goldoni
Palazzo Balbi
Palazzi Mocenigo
Rio di Ca' Santi
C Cortesia
C del Locande
C dei Fuseri
SAN MARCO
Ramo Lezze
Saliz S Samuele
Piscina Samuele
C de Pestrin
C Va in Campo
Rio di S Angelo
C della Verona
Rio Fuseri
Campo S Gallo
Fond Orseolo
San Samuele
C delle Carrozze
Piscina S Samuele
Campiello Novo
Campo S Anzolo
C d Caffettier
C del Cristo
Cllo della Fenice
Rio dei Barcaroli
C d Barcaroli
C Venier
C Frezzaria
Campo S Samuele
Saliz Malipiero
C dei Orbi
C d Muneghe
Campo S Frantin
C del Carro
Ca' Rezzonico
Voir la carte San Marco p. 42-43
Campo Santo Stefano
Rio della Veste
Fond Fenice
C del Cristo
Campo di San Moisè
C Vallaresso
Rio del Santissimo
Campo S Maurizio
Larga XXII Marzo
C Squero
C del Ridotto
C Barozzi
C Vitturi
C Giustinian
Rio di San Vidal
C del Dose Da Ponte
C Zaguri
C delle Ostreghe
C del Pestrin
C del Traghetto
Corte Barozzi
Campo di S Vidal
Rio di San Maurizio
Fond Corner
Campo Traghetto
Accademia
Fond Priuli
Campo della Carità
Santa Maria del Giglio
C del Pistor
Rio Terà Carità
Grand Canal
Salute
C Larga Nani
C Larga Pisani
Piscina Forner
Campo San Vio
C d Chiesa
C S Cristoforo
C d Bastion
C del Lanza
Fond Dogana alla Salute
Campo della Salute
Punta della Dogana
Piscina Venier
Fond Venier dei Leoni
Fond Soranzo della Fornace
C Franchi
Cte del Forno
Cte d Sabbionni
Corte Nova
C Molin
Rio Terà Catecumeni
Ruo Terra del Spezier
Rio Terà Antonio Foscarini
Campo di S Agnese
C Capuzzi
Piscina S Agnese
Fond di Ca' Bragadin
Rio delle Torreselle
Fond di Ca' Balà
Rio della Salute
C del Squero
Rio Terà
C da Ponte
C d Squero
C Navaro
Rio Terà di San Vio
Fond Venier
C di S Domenico
C degli Incurabili
Zattere
Ponte dell' Umiltà
Alilaguna
Zattere
Canale della Giudecca
0
400 m

Les divines peintures de Véronèse dans la Chiesa di San Sebastiano (p. 109)

de cette histoire qu'il faut admirer son *Martyre de saint Sébastien*, où le saint condamné lance un regard de défi à ses bourreaux entourés d'une foule de nobles richement vêtus, de marchands enturbannés et, pour l'effet comique, d'un chien malicieux.

CHIESA DI SANTA MARIA DELLA SALUTE

041 5225558 ; Campo della Salute ; église gratuite, sacristie 1,50 € ; 9h-12h et 15h-17h30 ; Salute

Les chanceux ayant survécu à l'épidemie de peste de 1630 érigèrent en action de grâces cette église, Notre-Dame-du-Salut, qu'ils installèrent sur au moins 100 000 pylônes. Les Vénitiens viennent toujours prier ici une fois par an pour leur santé (p. 30). Les spécialistes de l'architecture ancienne ont noté la ressemblance entre le plan octogonal inhabituel de Longhena, les temples gréco-romains et les diagrammes cabalistiques juifs. Après l'horreur de la peste, peut-être semblait-il sage de concilier plusieurs traditions religieuses. La sacristie conserve *Les Noces de Cana* du Tintoret et pas moins de 12 tableaux de Titien (voir p. 16), dont le retable de *Saint Marc entouré de saint Côme, saint Damien, saint Roch et saint Sébastien* (sa première œuvre connue, 1510), et un autoportrait en *Saint Matthieu*.

GALLERIE DELL'ACCADEMIA

041 5222247 ; www.gallerieaccademia.org ; Campo della Carità 1050 ; adulte/citoyen de l'UE 6-14 ans, étudiant et plus de 65 ans 6,50/3,25 € ; 8h15-14h lun, 8h15-19h15 mar-dim, fermeture du guichet 45 min avant ; Accademia

Les murs sereins de cet ancien couvent cachent une multitude de chefs-d'œuvre. Toutes les stars de l'art vénitien y sont représentées : Titien et ses scènes sensuelles, le Tintoret et ses tableaux pleins de vie, Vittore Carpaccio, amateur d'horreur, Giovanni Bellini et les tendres sentiments de la Sainte Famille, Rosalba Carriera avec ses portraits sans complaisance, et Véronèse, censuré pour ses commentaires sociaux. Les salles sont vaguement organisées par peintre et par période ; prenez le temps de vous attarder dans les salles 16 à 18, qui rassemblent des portraits remarquables, des panoramas vénitiens de Canaletto et *La Tempête*, de Giorgione (1508).

COLLEZIONE PEGGY GUGGENHEIM

041 2405411 ; www.guggenheim-venice.it ; Palazzo Venier dei Leoni, Fondamente Venier dei Leone 701 ; adulte/étudiant moins de 26 ans/senior/moins de 10 ans 10/5/8 €/gratuit ; 10h-18h mer-lun ; Accademia

Après la disparition de son père sur le *Titanic*, Peggy Guggenheim hérita d'une fortune considérable. Elle fuit les nazis, se rapprocha des dadaïstes et réunit les œuvres d'avant-garde de quelque 200 artistes modernes. Le musée qu'est devenu son palais vénitien est aujourd'hui consacré au futurisme italien, au surréalisme et aux grandes œuvres d'expressionnistes et de "révolutionnaires" tels que Wassily Kandinsky, Max Ernst, son ancien époux, et Jackson Pollock (l'un de ses nombreux amants, selon la rumeur). Sa collection compte aussi des travaux moins connus de Pablo Picasso, Piet Mondrian ou Salvador Dalí. Indifférente au prestige et poursuivant des idéaux modernistes, Peggy Guggenheim s'intéressait aussi aux arts populaires et à des artistes moins célèbres. C'est cette sensibilité particulière que l'on retrouve dans tout le musée.

PONTE DELL'ACCADEMIA

Accademia

Ce pont abrupt enjambant le Grand Canal essouffle depuis 1930 les touristes rejoignant les Gallerie dell'Accademia. La structure de bois devait à l'origine remplacer provisoirement un pont en métal du XIXe siècle, mais la construction était si solide et les vues depuis le sommet si belles que l'on renonça à le détruire.

CHASSE AUX TRÉSORS

Faute de retrouver la rotule perdue de saint Marc dans la basilique Saint-Marc ou le Bellini arraché aux murs de la Madonna dell'Orto en 1993, bien d'autres trésors se dissimulent dans Venise…

Le week-end, par beau temps, un marché aux puces (*mercato delle pulci*) investit le Campo Santa Margherita, aux côtés du bric-à-brac de Médecins sans frontières organisé par deux charmants frères vénitiens qui décidèrent un jour que la retraite les ennuyait et que le monde allait mal. En y flânant, on peut dénicher des verres de Murano, de petits pots en cuivre où cuire des *cicheti* (tapas vénitiennes) pour poupées, ou encore de vieux magazines de mode italiens sortis des greniers.

Bochaleri in Campo (carte p. 42-43, C5 ; www.bochaleri.it ; Campo San Maurizio, San Marco ; 9h-17h dernier week-end de mai ; Santa Maria del Giglio). Ce marché annuel de céramique couvre des styles et des époques variés : des assiettes ornées de portraits de la Renaissance classique au *raku* (poterie japonaise).

Le **Mercantino dei Miracoli** (9h-13h et 15h30-19h30 1er week-end du mois ; Ca' d'Oro) a lieu sur le Campo Santa Maria Nova (carte p. 72-73, G6) ou Via Garibaldi. On y vend, comme au **Mercantino dell'Antiquario** (carte p. 42-43, C5 ; 333 9659994 ; www.mercatinosanmaurizio.it ; Campo San Maurizio ; 9h-17h dernier week-end du mois ; Santa Maria del Giglio), des céramiques et des bijoux anciens, de fougueux paysages marins, des lunettes tout droit sorties d'un film de Fellini et d'autres babioles à des prix prohibitifs. C'est un spectacle amusant – et probablement le seul endroit au monde où l'on peut acheter une proue de gondole…

PUNTA DELLA DOGANA

Salute

Lorsque François Pinault annonça qu'il avait choisi l'architecte japonais Tadao Ando, maître du minimalisme, pour transformer en centre d'art contemporain cet ensemble d'entrepôts, Venise a retenu son souffle. Sauf incident imprévu, la collection d'art de l'homme d'affaires français devrait ouvrir en 2009 dans une structure modernisée mais préservant tout le cachet des anciens bâtiments, au soulagement des habitants.

SCUOLA GRANDE DEI CARMINI

041 5289420 ; Campo Santa Margherita 2617 ; adulte/étudiant/enfant 5/4/2 € ; 9h-17h lun-sam, 9h-16h dim avr-oct, 9h-16h nov-mars ; Ca' Rezzonico

Les voyageurs à petit budget du XVIIIe siècle qui arrivaient à la Scuola Grande dei Carmini n'en revenaient certainement pas : après avoir gravi l'un des plus jolis escaliers de Venise, longé les neuf panneaux de la resplendissante *Vierge en gloire* dont Tiepolo orna le plafond, et franchi de lourdes portes, c'est dans un cadre luxueux de boiseries que les carmélites les accueillaient dans cette auberge. On ne dort malheureusement plus dans ce magnifique édifice, mais l'ensemble **Venice Opera** (www.venice-opera.com) y donne parfois des concerts.

SQUERO DI SAN TROVASO

Campo San Trovaso 1097 ; Zattere

Les gondoliers confient leur contrôle technique à un *squero* (atelier de gondoles). Cette cabane de bois, à l'angle du Rio di San Trovaso, a des allures de chalet de montagne et compte parmi les trois *squeri* encore en activité à Venise. Depuis la rive droite, vous verrez des gondoles restaurées sécher dans la cour, ainsi que la péniche de Cristina della Toffola (p. 143).

SHOPPING

ANTICHITÀ TERESA BALLARIN *Antiquités*

041 2771807 ; Calle delle Botteghe 3184 ; 16h-19h lun, 10h-13h et 15h-19h mar-sam ; Ca' Rezzonico

Le choix éclectique d'objets rococo ou rock'n'roll démontre que Venise n'a jamais cessé d'être branchée ! Les vases anciens et les peintures font de jolis souvenirs, mais l'adresse vaut surtout pour ses objets du XXe siècle : bagues futuristes en Bakélite, quelques lampes Scarpa ou encore un vase rare en céramique de Gio Ponti, à des prix que l'on paierait pour des copies.

AQUA ALTRA *Cadeaux, commerce équitable*

041 5211259 ; www.aquaaltra.it ; Campo Santa Margherita 2898 ; 16h-19h30 lun, 9h30-12h30 et 16h-19h30 mar-sam ; Ca' Rezzonico

De l'époque où la ville contrôlait les échanges maritimes, Venise a conservé un sens aigu du commerce, comme en témoigne cette boutique, entre bon goût italien et altermondialisme. Les chocolats viennent de coopératives de Sierra Leone, les ballons de foot d'une coopérative pakistanaise et les alligators en peluche aident des artisans kenyans.

GUALTI *Bijoux*

041 5201731 ; www.gualti.it ; Rio Terà Canal 3111 ; 10h-13h et 15h-19h30 lun-sam ; Ca' Rezzonico

Soit une étoile filante a atterri sur votre épaule, soit vous sortez de chez Gualti. Les broches semblent exploser en éclats de verre sur des tiges de résine, et des cascades de métal fusent comme des feux d'artifice d'un collier invisible. Ces bijoux mobiles sont vraiment fascinants. Gualti réalise ses pièces uniques à des tarifs raisonnables (à partir de 70 €).

Marina Sent

Architecte devenue styliste verrière pour Marina e Susanna Sent (page de droite)

Briser le plafond de verre Dans ma famille, nous sommes verriers à Murano depuis des générations. Dans les années 1980, le soufflage de verre était un métier essentiellement masculin, j'ai donc fait des études d'architecture. Lorsque ma sœur et moi nous sommes lancées dans la verrerie, c'était seulement par plaisir, pour voir ce que nous pouvions faire. Notre famille n'avait jamais créé de bijoux en verre et nous voulions faire quelque chose de nouveau. **Une touche d'épices** Si vous aimez la verrerie, ne manquez pas le Museo del Vetro [p. 142] et flânez dans Murano pour voir les laboratoires et entendre le bruit des fournaises. À Venise, les sources d'inspiration ne manquent pas : récemment, je me suis intéressée aux épices, aux piles de paprika et de cannelle des marchés du Rialto [p. 94]. **Anges gardiens de l'architecture** Au Moyen Âge, les artisans ont financé les chapiteaux du palais des Doges [p. 45]. De la même manière, nous avons fait restaurer la statue de la Vertu, sur le côté du palais. C'est un honneur de perpétuer cette tradition.

IL PAVONE *Papeterie*

041 5234517 ; Calle della Chiesa 721 ; 10h-13h et 15h-18h mar-sam ; Accademia

Votre recette de *baccalà mantecato* (purée de morue à l'ail et au persil) sera certainement encore plus appétissante dans un livre fait à la main et imprimé de motifs architecturaux gothiques. Les livres de cuisine, les journaux de voyages et les agendas que propose Il Pavone sont joliment décorés de pigments métalliques. À l'intérieur des couvertures, tout a été pensé : des onglets pour retrouver ses menus aux rubriques pour repérer ses sites préférés en passant par des pages où noter les anniversaires.

L'ANGOLO DEL PASSATO *Antiquités*

041 5287896 ; Campiello dei Squellini 3276 ; 10h-13h et 15h-18h mar-sam ; Ca' Rezzonico

À mi-chemin du baroque et du modernisme, cet antiquaire possède une très belle collection : miroirs baroques ternis par les années, incrustés de candélabres, fragiles verres à eau de couleur… Les plus belles trouvailles datent des années 1920 à 1970. Les brocs décoratifs et les lampes en verre fumé par exemple seront probablement du meilleur effet chez vous.

LIBRERIA DEL CAMPO *Livres*

041 5210624 ; Campo Santa Margherita 2943 ; 10h-22h lun-sam Ca' Rezzonico

Les livres à petits prix et les livres d'art rares ont valu à cette institution la fidélité d'une clientèle étudiante. Les publications d'éditeurs internationaux comme Taschen y côtoient des ouvrages d'art italiens plus confidentiels.

MADERA *Cadeaux, décoration*

041 5224181 ; www.maderavenezia.it ; Campo San Barnaba 2762 ; 10h-13h et 15h-18h mar-sam ; Ca' Rezzonico

Poêles en forme d'horloge, cuillères imitant des langues et saladiers en bois "vagues"… Chez Madera, les objets quotidiens sont conçus dans des matières naturelles et des formes organiques, d'inspiration scandinave et japonaise. La plupart sont fabriqués par la propriétaire et créatrice Francesca Meratti et d'autres noms du design italien. Comptez au moins 70 € pour les cuillères en bois.

MARINA E SUSANNA SENT *Verres et bijoux*

041 5208136 ; www.marinaesusannasent.com ; Campo San Vio 669 ; 10h-13h et 15h-18h30 mar-sam, 15h-18h30 lun ; Accademia

Porter les créations raffinées des deux sœurs Marina et Susanna

Sent (voir p. 116) vous permettra de vous distinguer des autres touristes dans Venise. Ces deux créatrices associent le verre aux matériaux les plus inattendus pour créer des bijoux poétiques, tels ce collier alliant papier et verre, ou encore cet autre collier en cuir noir décoré de gouttes de verre évoquant des cuillerées de paprika et de safran. En vente dans les boutiques des musées vénitiens, leur célèbre collier "bulles de savon", résistant malgré sa finesse, ajoutera une touche d'humour à vos tenues de soirées.

PASTOR *Gravure sur bois*

041 5225699 ; www.forcole.com ; Fondamenta Soranzo della Fornace 341 ; 8h30-12h30 et 14h30-18h lun-sam ; Salute

Sur une gondole, la *forcola* désigne la fourche où repose la rame. Sculptée à la main dans du bois d'acacia et du chêne dur, chaque *forcola* doit résister à la pression exercée par le rameur et exprimer son style particulier. Comme les meilleurs gondoliers, les *forcole* de Saverio Pastor sont aussi équilibrées qu'élégantes. Mick Jagger se serait fait sculpter une *forcola* sur mesure. Plus modestement, vous pouvez rapporter un petit modèle et la considérer comme une sculpture pour votre salon.

Étals de fleurs dans Dorsoduro

SE RESTAURER

AI GONDOLIERI

Nouvelle cuisine vénitienne €€€

041 5286396 ; www.aigondolieri.com ; Fondamenta Ospedaleto 366 ; 12h-15h et 19h-22h mer-lun ; Accademia

Ce restaurant possédant une façade vitrée donnant sur le canal ravira amateurs de viande et végétariens. Les premiers essaieront les raviolis au faisan et à l'agneau, les seconds n'auront que l'embarras du choix : gâteau de polenta au fromage dans une sauce onctueuse aux poireaux et haricots. Commandez votre part de tiramisu à la pâte d'amandes avant qu'il n'en reste plus : Meryl Streep et Woody Allen ont déjà été séduits.

AI SPORTIVI *Pizza* €

041 5211598 ; Campo Santa Margherita 3052 ; 12h-22h lun-sam ; Ca' Rezzonico

Si vous avez besoin de manger un petit quelque chose avant de vous lancer dans la visite de la Ca' Rezzonico, rendez-vous chez Ai Sportivi. En quelques minutes, les serveurs affairés vous serviront une fine pizza garnie de gorgonzola, de jambon ou d'autres ingrédients de saison.

ANTICA PASTICCERIA TONOLO *Pâtisseries* €

041 5327209 ; Calle dei Preti 3764 ; 8h-20h lun-sam, 8h-13h dim ; Ca' Rezzonico

Pour vous consoler du triste croissant sous plastique servi dans les hôtels au petit déjeuner, offrez-vous un croustillant strudel aux pommes ou un pain au chocolat chez Tonolo. En soirée, en guise de goûter tardif, accompagnez votre expresso de beignets chocolat-noisette.

DA NICO *Glaces* €

041 5225293 ; Zattere 922 ; 7h-22h ven-mer ; Zattere

Si vous manquez de courage pour aller jusqu'au Lido par une belle journée ensoleillée, installez-vous chez Da Nico et commandez l'une des spécialités de la maison : le *gianduiotto* (une boule de glace à la noisette sous une montagne de crème fouettée) ou la *panna in ghiaccio* (crème fouettée glacée entre deux biscuits). Vous pouvez aussi les déguster au bar pour la moitié du prix, mais, après cette orgie de glaces, vous aurez peut-être besoin de vous asseoir.

ENOTECA AI ARTISTI *Cuisine italiennne* €€

041 5238944 ; www.enotecaartisti.com ; Fondamenta de la Toletta 1169a ; 12h-16h et 18h30-22h lun-sam ; Accademia

Des pâtes généreuses aux *bruschette* de saison, en passant par la belle sélection de fromages, chaque assiette peut être accompagnée d'un vin servi au verre que le chef des lieux, grand amateur de vins, vous conseillera. La façade vitrée permet d'observer la foule des passants, mais la salle est petite. Mieux vaut donc réserver si vous êtes plus de deux.

IMPRONTACAFÉ *Cuisine italienne, sandwichs* €€

041 2750386 ; Calle Crosera 3815 ; 11h-23h lun-sam ; San Tomà

Certains clients arrivent pour déjeuner, commandent la polenta, un *prosecco* et un expresso… et s'attardent parfois jusqu'au dîner ! Les assiettes composées sont délicieuses, en particulier la polenta grillée aux champignons sauvages, salami vénitien (*sopressa*) et salade.

Le bouddha qui trône sur le bar ajoute une pointe d'humour à la décoration minimaliste.

PASTICCERIA GOBBETTI

Pâtisseries €

041 5289014 ; Ponte dei Pugni 3108b ; 7h30-20h ; Ca' Rezzonico

Pourquoi une chocolaterie devrait-elle ouvrir à 7h30 ? Pour les Vénitiens, il n'est jamais trop tôt pour une envie de mousse au chocolat de chez Gobbetti. Les chapeaux de doge fourrés au chocolat font un excellent cadeau, et constituent une excellente excuse pour arriver dès l'aube.

PIZZA AL VOLO *Pizza* €

041 5225430 ; Campo Santa Margherita 2944 ; 12h-1h ; Ca' Rezzonico

Après la fermeture des restaurants, les noctambules lassés des *cicheti* (tapas vénitiennes) et errant en quête d'une table où dîner apprécieront cette adresse. Les pizzas y sont correctes et bon marché. La pâte est à la fois fine et croustillante et les garnitures, qui n'ont rien de très original, ne dégoulineront pas sur vos genoux.

RISTORANTE CANTINONE STORICO *Cuisine vénitienne* €€€

041 5239577 ; Fondamenta di Ca' Bragadin 660-661 ; 12h-15h et 19h-22h lun-sam, fermé nov et jan ; Accademia

La terrasse bordant le canal est jolie, mais, dès que votre assiette de pâtes arrive, vous n'aurez d'yeux que pour elle : les tagliatelles aux asperges, les crevettes et les artichauts à la *busura* (sauce aux crevettes) peuvent sembler tout simples, mais vos papilles seront en fête. Les prix sont plutôt élevés, mais l'établissement est proche des Gallerie dell'Accademia et prépare d'authentiques plats vénitiens avec les meilleurs ingrédients.

RISTORANTE LA BITTA

Cuisine italienne €€€

041 5230531 ; Calle Lunga San Barnaba 2753a ; 19h-22h lun-sam ; Ca' Rezzonico

La petite carte du jour (pas de poisson) présentée sur un chevalet de peintre miniature est en effet une œuvre d'art. Les blancs de pintade fondants servis dans une sauce au mascarpone, les gnocchis de potiron et le tendre filet de bœuf sont de toute beauté. Le restaurant ne propose pas de vin au verre, mais vous pouvez demander que l'on vous serve la moitié d'une bouteille.

RISTOTECA ONIGA

Cuisine vénitienne €€

041 5224410 ; www.oniga.it ; Campo San Barnaba 2852 ; 12h-15h et 19h-22h mer-lun ; Ca' Rezzonico

Les puristes de la cuisine vénitienne viennent ici goûter aux *nervetti*

RETOUR À L'ÉCOLE

Pour maîtriser le dialecte vénitien, apprendre à concocter les spécialités locales, ramer sur le canal de la Giudecca ou fabriquer votre propre masque, voici quelques idées de cours.

Imaginez et réalisez votre déguisement de carnaval chez **Ca' Macana** (☎ 041 5229749 ; www.camacana.com ; Calle delle Botteghe 3172 ; cours environ 60 € ; 🕑 15h mer et ven ; 🚢 Ca' Rezzonico). L'atelier de fabrication et de décoration de masques se déroule pendant deux heures et demie dans un studio d'artisan situé dans une petite rue. Le tarif par personne est inversement proportionnel à l'importance du groupe.

Grâce aux activités (en anglais) proposées par **The Friends of Venice Club** (☎ 041 715877 ; www.friendsofveniceclub.com ; 🚢 Ca' Rezzonico), les traditions vénitiennes n'auront plus de secret pour vous. Vous pourrez ainsi apprendre la cuisine italienne, vous joindre à un orchestre de musique de chambre ou à des chœurs dans un palais vénitien, vous initier à la rame sur le canal de la Giudecca, ou encore au dessin et à la peinture en plein air dans toute la ville. Les formateurs sont patients et désireux de partager leur passion pour Venise.

À l'**Istituto Venezia** (☎ 041 522 43 31 ; www.istitutovenezia.com ; Campo Santa Margherita 3116a ; cours par semaine 160-540 € ; 🚢 Ca' Rezzonico), les cours d'italien se poursuivent sur la place autour d'un verre. Les cours de langue et d'art durent une semaine ou plus et sont adaptés à tous les niveaux. Des cours particuliers sont aussi possibles (tarif à l'heure). Les prix varient en fonction de la taille du groupe et de la durée du stage.

(tendons de veau) et au foie de veau aux oignons concoctés par Annika. Les moins aventureux trouveront aussi leur bonheur : en saison, les raviolis à la ricotta, aux brocolis et aux graines de pavot sont d'une fraîcheur printanière. La terrasse, sur la place, et l'excellent service achèveront de vous convaincre.

🍴 TRATTORIA DONA ONESTA

Cuisine vénitienne €

☎ 041 710586 ; www.donaonesta.com ; Calle Dona Onesta 3922 ; 🕑 12h-15h30 et 18h30-22h ; 🚢 San Tomà

La maison abreuve généreusement en vin ses fidèles, qui se plaignent de Berlusconi et se consolent en dévorant de belles portions de moules et de palourdes. D'avis d'expert, le propriétaire est égyptien, mais il cuisine comme un Vénitien. Les végétariens apprécieront les pâtes aux légumes relevées de poivron rouge grillé. Et les prix raisonnables feront le bonheur de tous.

🍸 PRENDRE UN VERRE

🍸 CAFÉ NOIR *Café-bar*

☎ 041 710925 ; Calle Crosera 3805 ; 🕑 7h-2h lun-ven, 17h-2h sam, 9h-2h dim ; 🚢 San Tomà

Testez votre sens de l'équilibre après quelques verres au Cantinone 'Gia Schiavi'

Après avoir fait la fermeture, les fidèles reviennent le matin pour prendre leur expresso. Étudiants en architecture, musiciens et voyageurs se retrouvent à toute heure autour d'un *spritz*. Quelques idées pour entamer la conversation : affirmer qu'Albinoni est sous-estimé et que le *spritz* est meilleur à l'Aperol qu'au Campari.

CAFFÈ ROSSO *Café-bar*

☎ 041 5287998 ; Campo Santa Margherita 2963 ; 7h-1h lun-sam ; Ca' Rezzonico

La vie du Campo Santa Margherita tourne autour de ce café, surnommé affectueusement "Rosso" en raison de ses fenêtres rouges. Par beau temps, les habitués affluent dès le matin à la terrasse, commentant les gros titres des journaux, puis savourant un *prosecco* au déjeuner. Le soir, les étudiants viennent pour le *spritz* et l'animation.

CANTINONE 'GIA SCHIAVI'
Pub, bar à vin

☎ 041 5230034 ; Fondamenta Nani 992 ; 8h30-20h30 lun-sam ; Accademia

Pendant la *happy hour*, il vous faudra jouer des coudes et des cordes vocales pour passer commande et rapporter sans le renverser votre verre de vin ou *pallottoline* (petite bouteille de bière) dehors, près du canal. Une brochette d'étudiants, d'artisans et d'intellectuels est en général perchée sur la balustrade et le pont. Avant de les imiter, sachez qu'il faut un certain entraînement pour ne pas tomber !

IMAGINA CAFÉ *Café-bar*

041 2410625 ; www.imaginacafe.it ; Rio Terà Canal 3126 ; 9h-2h mar-dim ; Ca' Rezzonico

Les banquettes confortables, les œuvres de jeunes artistes aux murs et la collection de bouteilles d'Aperol derrière le bar séduisent une clientèle de fidèles, hétéro et gay. La terrasse sur la place est très ensoleillée.

OSTERIA ALLA BIFORA

Bar à vin

041 5236119 ; Campo Santa Margherita 2930 ; 10h-2h ; Ca' Rezzonico

En attendant que les serveurs peu pressés vous apportent votre plat, sirotez votre verre de vin, profitez de l'ambiance romantique de ce bar et prenez votre mal en patience. Ce bar est plus agréable que ses voisins de la place, et on y voit parfois de parfaits étrangers faire connaissance autour des tables communes.

TEA ROOM BEATRICE

Salon de thé

041 7241042 ; Calle Lunga San Barnaba 2727a ; 10h-18h ; Ca' Rezzonico

Une adresse huppée pour changer des expressos avalés en hâte au bar. Par temps de pluie, commandez un thé vert et un gâteau aux amandes dans le salon japonais. Aux beaux jours, on optera pour des pistaches et des boissons fraîches dans le patio.

SORTIR

VENICE JAZZ CLUB *Jazz*

041 5232056 ; www.venicejazzclub.com ; Ponte dei Pugni 3102 ; entrée comprenant une boisson 15 € ; à partir de 17h30 lun, mer, ven et sam ; Ca' Rezzonico

Très bien organisé pour un club de jazz, cet établissement propose dans une ambiance détendue des improvisations en hommage à des maîtres comme Miles Davis et Chet Baker. Les boissons sont chères et la plupart des habitués se contentent du verre compris dans l'entrée avant de s'éclipser pour finir la soirée ailleurs. La musique commence à 21h.

>GIUDECCA

Connue depuis des siècles pour ses richesses architecturales – des œuvres de Palladio –, cette partie de la lagune fut un lieu de villégiature pour les classes aisées de Venise en mal de verdure, avant de se transformer radicalement au XIXe siècle et de voir s'étendre usines et immeubles d'habitation. Comme la plupart des anciens quartiers industriels un peu douteux, la Giudecca est récemment devenue un coin ultrabranché. Un théâtre, des galeries et des lofts aux loyers abordables occupent désormais les murs des anciennes manufactures et des vieux entrepôts des docks. La prison pour femmes, qui existe encore, se trouve maintenant à proximité d'un tout nouveau spa de luxe et d'un Harry's Bar ! Sautez dans le premier *vaporetto* pour découvrir la Giudecca tant que l'atmosphère vibre encore de créativité et que les prix n'ont pas chassé les artistes fauchés.

GIUDECCA

VOIR

Chiesa di San Giorgio Maggiore........1 F1
Fondazione Giorgio Cini........2 F2
Giudecca 795........3 A2
Il Redentore........4 D3

SHOPPING

Fortuny Tessuti Artistici........5 A2

SE RESTAURER

Ai Tre Scalini........6 E2
Al Pontil dea Giudecca........7 D3
Harry's Dolci........8 B2
I Figli delle Stelle........9 E2

SORTIR

Casanova Spa........10 E2
Teatro Junghans........11 B3

DORSODURO
C Balastro
Accademia
Ponte dell'Accademia
C Gritti
Vallaresso
San Marco
Bacino di San Marco
Ancienne gare maritime
San Basilio
Campo S Trovaso
Fond Bollani
Campo Grand Canal
Campo San Vio
Salute
Campo della Salute
Punta della Dogana
Canale di San Marco
Canale di Fusina
Zattere Ponte Lungo
Campo di S Agnese
Fond Venier
Corte Nova
Voir la carte Dorsoduro p. 110-111
Fond Zattere ai Saloni
Fond delle Zattere ai Gesuati
San Giorgio
Campo San Giorgio
Campo Nani e Barbaro
Isola di San Giorgio Maggiore
Teatro Verde
Canale della Grazia
SACCA FISOLA
Mulino Stucky (Hilton Hotel)
Fond San Biagio
Palanca
Canale della Giudecca
Campiello Priuli
Rio di San Biagio
Fond della Convertite
Chiesa di Sant'Eufemia
Fond Sant'Eufemia
Campo San Cosma
GIUDECCA
Campo della Rotonda
Ancienne Chiesa di SS Cosma e Damiano
C di Mezzo
Corte Grande
C dei Nicoli
Ramo del Forno
C dell'Olio
Campazzo di Dentro
Fond delle Scoule
C Junghans
C d Erbe
Fond a Fianco del Ponte Lungo
C San Giacomo
Redentore
Campo del Redentore
Fond di San Giacomo
C Redentore
Rio della Croce
C d Croce
Zitelle
Fond delle Zitelle
Fond San Giovanni
Chiesa delle Zitelle
C drio la Croce
C Squero
C del Gran
C Michelangelo
Isola della Giudecca
Campiello Ospizio
C Esterna
Isola la Grazia
0
200 m

VOIR

CHIESA DI SAN GIORGIO MAGGIORE

041 5227827 ; Isola di San Giorgio Maggiore ; église gratuit, campanile 3 € ; 9h30-12h30 et 14h30-18h30 lun-sam mai-sept, 9h30-12h30 et 14h30-16h30 lun-sam oct-avril ; San Giorgio

L'église San Giorgio Maggiore, chef-d'œuvre dessiné par Andrea Palladio, a été conçue pour éblouir. Pratiquement aveuglé par la façade en marbre blanc d'Istrie, on découvre en s'approchant la profondeur des colonnes massives qui soutiennent le double tympan triangulaire, où est représentée la Sainte Trinité. À l'intérieur, on reste saisi par les plafonds s'élevant en volutes vers les hauteurs et par les grandes ouvertures qui laissent le soleil remplir l'espace. Au sol, le pavement de pierres noires, blanches et rouges emmène le visiteur jusqu'à l'autel. Remarquez les deux chefs-d'œuvre du Tintoret : *La Récolte de la manne*, sur la gauche, et, sur la droite, *La Cène*. Ne manquez pas non plus la ravissante *Vierge à l'Enfant entourée de saints* de Sebastiano Ricci. Pour terminer cette visite, grimpez en haut du campanile, d'où la vue sur la lagune est saisissante.

L'église San Giorgio Maggiore, conçue par Palladio, tout simplement éblouissante

BON ANNIVERSAIRE MONSIEUR PALLADIO

Antonio Palladio (1508-1580) a construit dans sa Vénétie natale des églises et des villas d'une force et d'une luminosité sans pareilles. À l'occasion du 500e anniversaire de la naissance de leur créateur, elles ont été méticuleusement nettoyées et ont retrouvé tout l'éclat d'origine de leur marbre blanc.

Les simples touristes se contenteront de contempler les éblouissantes façades de la **Chiesa di San Giorgio Maggiore** (ci-contre) et d'**Il Redentore** (p. 128) depuis l'autre rive du canal. Les vrais amateurs d'architecture viendront sans aucun doute voir de près les jeux d'ombre et de lumière sur les différents volumes de ces deux édifices, et découvrir, à l'intérieur, l'impression de hauteur extrême créée par les voûtes, le travail sur la charpente et les grandes ouvertures. Ces espaces généreux intègrent harmonieusement les lignes gothiques élevées et la géométrie rationnelle de la Renaissance. Les chapiteaux comprennent des éléments que l'on retrouvera bien plus tard dans le style rococo. Quant aux surfaces nues et dépouillées, elles préfigurent peut-être le modernisme empreint d'histoire d'architectes comme Le Corbusier ou Tadao Ando.

FONDAZIONE GIORGIO CINI

☎ 041 2710280 ; www.cini.it ; Isola di San Giorgio Maggiore ; exposition 10h-18h30 lun-sam ; San Giorgio

Vittorio Cini a œuvré en faveur de la culture vénitienne bien avant que les héritières américaines et les milliardaires français s'intéressent à l'art. Évadé de Dachau avec son fils Giorgio, il est revenu à Venise pour sauver l'île de San Giorgio Maggiore qui, en 1949, était dans un profond état de délabrement. La fondation a acheté l'île et l'a transformée en un lieu dévolu à l'art et à la culture maritime. Le centre d'exposition, récemment aménagé dans l'ancienne école de marine, a accueilli en 2008 une rétrospective consacrée au peintre Giuseppe Santomaso, dans laquelle on pouvait voir notamment la série des *Lettere a Palladio,* des œuvres abstraites représentant des enveloppes aux proportions palladiennes.

GIUDECCA 795

☎ 340 8798327 ; www.giudecca795.com ; Fondamenta San Biagio 795 ; expositions 15h30-20h mar-ven, 11h-20h sam-dim ; Palanca

Cette galerie expose des œuvres contemporaines aux lignes fortes, marquées par un beau travail de la couleur. Laissez-vous entraîner par les tableaux entièrement rouges de Vito Campanelli et par les paysages urbains de Guaitamacchi (œuvres graphiques).

IL REDENTORE

041 5231415 ; Campo del Redentore 194 ; 3 € ou billet Chorus ; 10h-17h lun-sam, 13h-17h dim ; Redentore

Commencée par Palladio en 1577 et achevée par Antonio da Ponte en 1592, cette église d'un blanc éclatant fut construite pour célébrer la fin d'une épidémie de peste. À l'intérieur, les tableaux de Gerolamo Bassano attirent l'œil par leur aspect de velours noir, *L'Ascension* du Tintoret présente les lignes tourmentées si caractéristiques du peintre. Ne passez surtout pas à côté du *Remerciement de Venise pour la libération de la peste* (1619), dans lequel Paolo Piazza dépeint dans des tons gris sombre une ville tenue dans les airs par des anges. Le trait simple exprime de façon étonnamment moderne la gratitude et le sentiment de culpabilité habitant celles et ceux qui ont survécu à l'épidémie.

Il Redentore, édifiée pour célébrer la fin de la peste

SHOPPING

FORTUNY TESSUTI ARTISTICI *Décoration, textiles*

041 5224078 ; www.fortuny.com ; Fondamenta San Biagio 805 ; 9h-13h et 14h-18h lun-ven, 9h-11h et 14h-18h sam-dim ; Redentore

Découvrez dans ce showroom les imprimés soyeux dont l'élégance raffinée plongeait Marcel Proust dans des abîmes de nostalgie. Les secrets de la fabrication sont précieusement gardés et ont donné naissance depuis près d'un siècle à plus de 260 motifs.

SE RESTAURER

AI TRE SCALINI

Cuisine vénitienne €€

041 5224790 ; Calle Michelangelo 53c ; 12h-15h lun et ven, 12h-15h et 19h-22h mar-mer et sam-dim ; Zitelle

Pâtes, poisson et fruits de mer sont servis en de généreuses portions et s'accompagnent de pichets de vin tiré au tonneau. Le week-end, on se rassemble en famille ou entre amis pour déjeuner dans le jardin.

Davide Amadio

Violoncelliste des Interpreti Veneziani (p. 97), dont le fan-club n'a rien à envier à celui d'une rock-star

Poisson et art Il y a vingt ans, la Giudecca était un quartier de pêcheurs. Il y a aujourd'hui des galeries, des théâtres, des musiciens… et toujours du poisson ! **Musique baroque et musique punk** Peur, passion, violence : les compositeurs baroques éprouvaient les mêmes émotions que nous. On peut jouer sagement ou se montrer fidèle à l'âme de leur œuvre. **Jouer sur un instrument de 1787** Ce violoncelle a été fait pour les églises vénitiennes, leur taux d'humidité parfait et leur acoustique généreuse. Lorsque nous sommes en tournée, le bois sèche, se contracte, et je dois modifier mon jeu pour obtenir le bon son. **La bande sonore des œuvres du Tintoret** C'est un immense privilège – et un sacré défi – de jouer au milieu de la Scuola Grande di San Rocco [p. 86]. Entourés de ces chefs-d'œuvre, il nous faut déployer de grands moyens pour ramener le public au moment présent. Mais cette coexistence est un peu une constante à Venise, non ?

Petit coup d'œil sur la vue depuis le Harry's Dolci

AL PONTIL DEA GIUDECCA

Cuisine vénitienne €€

041 5286985 ; Calle Redentore 197a ; 12h-15h30 lun-ven ; Redentore

Un peu comme un déjeuner chez votre grand-mère : les plats du jour sont succulents et, à la fin du repas, vous aurez envie de vous lever pour desservir la table et ranger la cuisine.

HARRY'S DOLCI

Nouvelle cuisine vénitienne, pâtisseries €€€

041 5224844 ; www.cipriani.com ; Fondamenta San Biagio 773 ; 10h30-23h mer-lun avr-oct ; Palanca

Service discret et cadre rétro pour cette adresse très branchée. Certes, les prix ne prennent pas de retard sur l'inflation – comptez 15 € pour un café et un dessert (*dolce*) maison –, mais on peut aussi rester des heures ici : avec la vue sur les Zattere, le canal, le soleil et la divine tarte au citron, pourquoi se presser ?

I FIGLI DELLE STELLE

Nouvelle cuisine vénitienne €€

041 5230004 ; www.ifiglidellestelle.it ; Fondamente delle Zitelle 70 ; 12h-15h30 et 19h-24h mar-sam, 12h-14h30 dim ; Zitelle

Dans un cadre des plus romantiques, Luigi, le chef, allie les textures onctueuses et la réconfortante rusticité de la cuisine des Pouilles, région où il est né, à une subtilité toute vénitienne. Le simple velouté de fèves accompagné de chicorée et de tomates fraîches excite furieusement les papilles, tout comme l'assortiment de poissons grillés pour deux (langoustines, sole et sardines, au sel de mer des Pouilles). La carte compte de nombreux plats à moins de 10 €. Réservez une table sur le canal pour profiter de la vue sur San Marco, à moins que vous ne préfériez les canapés de cuir à l'intérieur.

SORTIR

CASANOVA SPA *Spa*

☎ 041 5207744 ; Hotel Cipriani 10 ; Zitelle

De la manucure à la rose de Damas (100 €), aux vertus rajeunissantes, aux soins du visage à la feuille d'or (150-200 €), à visée antyoxydante… les offres de cet institut de beauté sont absolument dignes du célèbre hédoniste qui vécut à Venise.

TEATRO JUNGHANS

Cours, théâtre

☎ 041 720635 ; www.veneziainscena.com ; Piazza Junghans ; Redentore

Envie d'épater tout le monde lors du Carnaval avec un costume unique ou une incarnation convaincante d'un noble vénitien ? Choisissez parmi les ateliers proposés par le Teatro Junghans : création de costume en août, théâtre masqué en juillet et septembre, commedia dell'arte en août et septembre. Quant à ceux qui préfèrent laisser ces choses aux professionnels, ils pourront consulter en ligne le programme des représentations.

>LIDO

C'est à cette île formant une barrière de 12 km entre Venise et la mer Adriatique que s'amarraient jadis les navires en escale. À l'aube du XXe siècle, le Lido devint la résidence d'été des Vénitiens privilégiés fuyant les ruelles sombres et les relents malodorants des canaux de la ville : villas et hôtels Art nouveau surgirent un peu partout et les plages se retrouvèrent du jour au lendemain colonisées par des élégantes coiffées de grands chapeaux et posant devant les cabines. C'est là que Thomas Mann situa son roman culte *La Mort à Venise*. Aujourd'hui, les foules envahissent les plages lors des belles journées d'été et les stars s'y donnent rendez-vous à l'occasion de la Mostra Internazionale d'Arte Cinematografica (Festival international du film de Venise), qui se tient au Palazzo del Cinema. Après plusieurs jours dans une Venise sans voiture, le retour à la circulation automobile peut s'avérer douloureux ; mais la meilleure manière de se déplacer ici reste le vélo ou bien la marche à pied.

LIDO

VOIR

Antico Cimitero Israelitico 1 D1
Plages 2 C4
Palazzo del Cinema 3 B6

SE RESTAURER

Da Tiziano 4 A6
Trattoria Andri 5 C4
Trattoria La Favorita 6 D2

PRENDRE UN VERRRE

Colony Bar 7 C4

SORTIR

Aurora Beach Club 8 D3
Lido on Bike 9 C3
Multisala Astra 10 C3

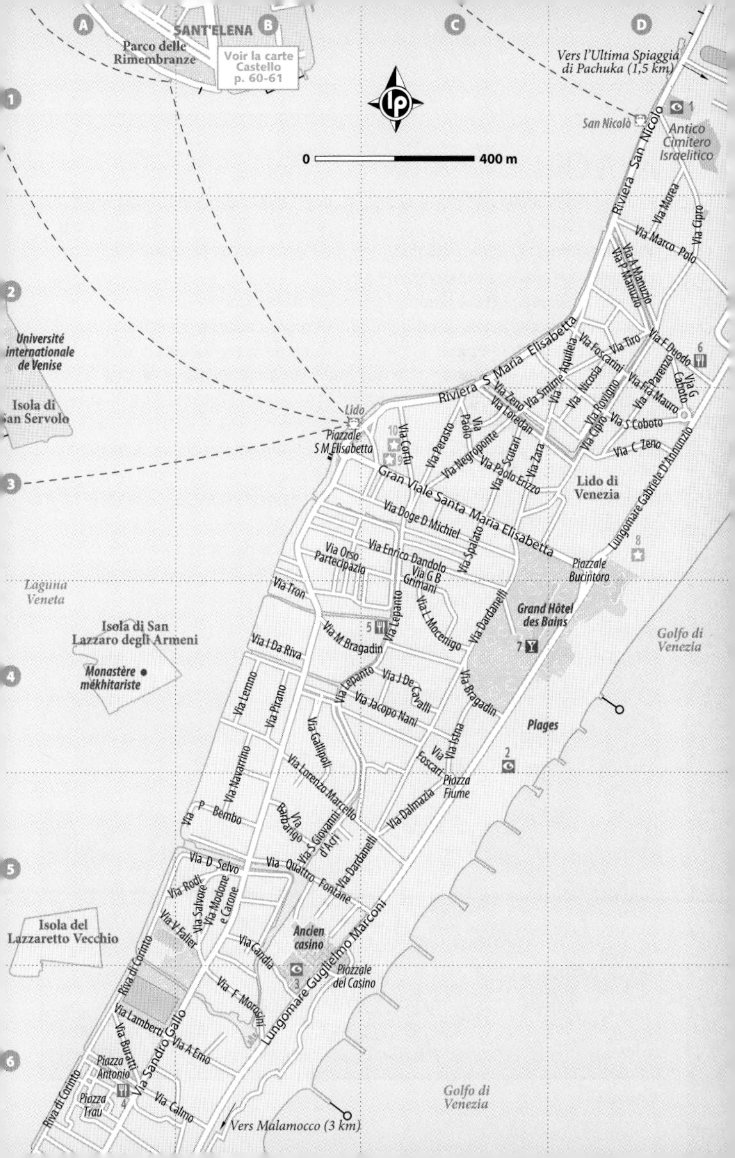

SANT'ELENA
Parco delle Rimembranze
Voir la carte Castello p. 60-61
Vers l'Ultima Spiaggia di Pachuka (1,5 km)
San Nicolò
Antico Cimitero Israelitico
0 400 m
Riviera San Nicolò
Via Morea
Via Cipro
Via Marco Polo
Via A Manuzio
Via P Manuzio
Université internationale de Venise
Isola di San Servolo
Riviera S Maria Elisabetta
Lido
Piazzale S M Elisabetta
Via Corfù
Via Perasto
Via Paolo
Via Negroponte
Via Zeno
Via Loredan
Via Smirne
Via Aquileia
Via Foscarini
Via Tiro
Via Nicosia
Via Rovigno
Via Cipro
Via F Duodo
Via Parenzo
Via Fra Mauro
Via G Caboto
Via S Coboto
Via C Zeno
Via Scutari
Via Zara
Via Paolo Erizzo
Lido di Venezia
Lungomare Gabriele D'Annunzio
Gran Viale Santa Maria Elisabetta
Via Doge D Michiel
Via Spalato
Via Enrico Dandolo
Via Orso Partecipazio
Via G B Grimani
Piazzale Bucintoro
Laguna Veneta
Via Tron
Via Lepanto
Via L Mocenigo
Via Dardanelli
Grand Hôtel des Bains
Isola di San Lazzaro degli Armeni
Monastère mékhitariste
Via M Bragadin
Via I Da Riva
Golfo di Venezia
Via Lemno
Via Pirano
Via J De Cavalli
Via Jacopo Nani
Via Bragadin
Via Istria
Plages
Via Gallipoli
Via Foscari
Via Navarrino
Via Lorenzo Marcello
Piazza Fiume
Via P Bembo
Via Barbarigo
Via S Giovanni d'Acri
Via Dalmazia
Via D Selvo
Via Quattro Fontane
Via Dardanelli
Via Rodi
Via Salvore
Via Modone e Carone
Isola del Lazzaretto Vecchio
Via V Falier
Riva di Corinto
Ancien casino
Via Candia
Piazzale del Casino
Lungomare Guglielmo Marconi
Via F Morosini
Via Lamberti
Via Sandro Gallo
Via A Emo
Via Buratti
Piazza Antonio
Piazza Trau
Via Calmo
Riva di Corinto
Vers Malamocco (3 km)
Golfo di Venezia

VOIR

ANTICO CIMITERO ISRAELITICO

Ancien cimetière juif ; ☎ 041 715359 ; www.museoebraico.it ; visite guidée 10 € ; visite 15h30 dim ; San Nicolò

Principal cimetière juif de Venise de 1386 jusqu'au XVIIIe siècle, ce paisible jardin envahi par la végétation renferme des tombes de tous styles. Certaines portent par exemple la marque du gothique vénitien, tandis que d'autres revendiquent de claires influences ottomanes. Le Museo Ebraico di Venezia (p. 75) propose des visites d'une heure permettant d'en savoir plus sur ceux qui sont enterrés ici et sur leur époque. Des visites en anglais ont lieu une fois par mois (généralement le dernier dimanche). Rendez-vous devant l'entrée du cimetière.

PLAGES

Consigne/chaise longue/parasol et chaise longue/cabine 5/5,50/11/17 € ; 9h30-19h mai-sept ; Lido

Chaises longues et maîtres-nageurs bronzés se trouvent à un quart d'heure seulement des églises, musées, palais et ruelles de Venise. Attention, les plages du Lido sont payantes. Les tarifs indiqués ci-dessus baissent après 14h. Pour éviter la foule (et le droit d'entrée), louez un vélo et

L'été, les plages du Lido attirent les foules… vénitiennes et étrangères

UNE RÉCEPTION ROYALE

Les organisateurs de soirée se sont surpassés à l'occasion de la visite, en 1574, du jeune Henri III, nouveau roi de France. Alors qu'il approchait de Venise à bord d'un navire royal propulsé par 400 rameurs, des souffleurs de verre, afin de le distraire, exerçaient leur art sur des embarcations naviguant en parallèle. À son arrivée, le roi fut accueilli par un essaim de beautés vénitiennes vêtues de blanc et arborant parures et bijoux dans de profonds décolletés. On servit ensuite le dîner : 1 200 plats, dit-on, et 300 pièces de confiserie en sucre filé. Quant au comité chargé de la décoration, il était composé – excusez du peu – d'Andrea Palladio, de Véronèse et du Tintoret, qui réalisèrent pour l'occasion des arcs de triomphe.

pédalez vers le sud, où des plages davantage préservées et bien moins fréquentées vous attendent – celle d'Alberoni par exemple.

MALAMOCCO

Hors carte p. 133 ; Lido

Capitale de la lagune de 742 à 811, ce bourg parcouru d'innombrables canaux a des allures de petite Venise – en moins enthousiasmant tout de même. Traversez le Ponte di Borge pour explorer les quelques rues, places, églises, palais ou vous arrêter dans une des *osterie* (bars-restaurants).

PALAZZO DEL CINEMA

Lido

Pas vraiment glamour sous ses allures de terminal d'aéroport, le bâtiment semble se transformer lorsque les tapis rouges sont déroulés et que les stars arrivent : la Mostra de Venise (p. 18) commence et le Palais du cinéma trouve sa véritable raison d'être.

SE RESTAURER

DA TIZIANO *Cicheti, pizza* €

041 5267291 ; Via Sandro Gallo 96 ; 12h-15h et 19h-22h mar-dim ; Lido

Un établissement très local, à proximité du Palazzo del Cinema, où les habitués viennent déguster de bons *cicheti* et des pizzas correctes, le tout à des prix plus que raisonnables.

TRATTORIA ANDRI

Cuisine vénitienne €€€

041 5265482 ; Via Lepanto 21 ; 13h30-16h mer-dim ; Lido

Faites une pause dans votre bain de soleil et venez tranquillement déjeuner en bordure du canal. La carte met à l'honneur les produits de la mer préparés très simplement : salade de crevettes, poissons grillés et *fritto misto* (assortiment de poissons frits), à accompagner d'un vin – à prix abordable – et d'un sorbet maison.

LE LIDO À VÉLO

Le vélo est idéal pour découvrir le Lido. Juste à côté de l'arrêt du *vaporetto*, **Lido on Bike** (☎ 041 5268019 ; www.lidoonbike.it ; Gran Viale 21b ; vélo/tandem/cycle double/cycle famille 3/6/7/14 € l'heure, vélo/tandem 9/18 € la journée ; 9h-19h mars-oct ; Lido) pratique des tarifs raisonnables et fournit une carte gratuitement. Il faut avoir au minimum 18 ans pour louer un vélo (pièce d'identité exigée). Le mieux est de prendre un vélo pour la journée entière, afin de ne pas être pressé par le temps et perdre ainsi tout l'intérêt de la balade…

Voici une boucle facile de deux heures. Démarrez à l'arrêt du *vaporetto* et prenez en direction du sud le Lungomare Guglielmo Marconi, une avenue en front de mer bordée d'arbres. Vous arriverez 3 km plus loin à Malamocco (p. 135), sorte de Venise en miniature à explorer en prenant garde à la circulation, car, après plusieurs jours dans des rues sans voiture, on oublie facilement les impératifs liés au trafic… Reprenez le Lungomare Guglielmo Marconi en sens inverse, n'oubliez pas de faire quelques pauses pour manger une glace et admirer la plage, et piquez à gauche dans la Via Quattro Fontane après le Palazzo del Cinema (p. 135). Prenez à droite le long du canal par la Via S Giovanni d'Acri, qui débouche dans la Via Lepanto, toute en courbes. Arrêtez-vous pour déjeuner à la Trattoria Andri (p. 135), ou bien empruntez le Gran Viale Santa Maria Elisabetta afin de rejoindre l'Aurora Beach Club (ci-contre) et de vous affaler sur la plage.

TRATTORIA LA FAVORITA

Cuisine vénitienne €€

☎ 041 5261626 ; Via Francesco Duodo 33 ; 18h-22h mar, 12h-15h30 et 19h30-23h mer-ven, fermé jan à mi-fév ; Lido

Gnochetti d'araignée de mer, risotto de poisson et assortiment de poissons crus, le tout à des prix qui n'ont rien d'hollywoodiens : La Favorita est digne de son nom. Mieux vaut réserver, car le gratin du cinéma apprécie les tables du jardin planté de glycine – et fréquenté par d'innombrables oiseaux qui continuent de pépier plus fort que les sonneries des téléphones portables.

PRENDRE UN VERRE

COLONY BAR *Lounge*

☎ 041 5265921 ; Hôtel des Bains, Lungomare Gugliemo Marconi 17 ; 9h-1h ; Lido

Installé dans cette véranda style Art déco protégée par des pins, sirotez un cocktail auprès des stars. Il vous en coûtera au minimum le même prix que la location d'une cabine de plage pour la journée, mais au moins profiterez-vous du cinq-étoiles – service révérencieux, carte haut de gamme et accès Wi-Fi – sans payer le prix d'une chambre.

SORTIR

AURORA BEACH CLUB

Beach-club, night-club

041 5268013 ; www.aurora.st ; Lungomare Gabriele D'Annunzio 20x ; 9h-2h mai-sept ; Lido

Les journées et les nuits s'enchaînent sans que l'on n'y prenne garde dans ce lieu ouvert récemment, au gré des activités proposées : livres et magazines à disposition, terrains de jeux, espaces de détente, concerts et Dj, bars à cocktails, cinéma en plein air…

MULTISALA ASTRA *Cinéma*

041 5265736 ; Via Corfu 9 ; adulte/étudiant/senior 7/4/5 € ; séances 17h, 18h, 20h et 21h15 ; Lido

Dès que vous sentez la brûlure du soleil sur votre peau, réfugiez-vous dans une salle obscure et climatisée. La programmation allie films d'art et d'essai et grosses productions.

ULTIMA SPIAGGIA DI PACHUKA

Beach-club, night-club

Hors carte p. 133 ; 348 3968466 ; Viale V Klinger, Spiaggia San Nicolò ; 20 € ; 12h-23h ; San Nicolò

Le sable du Lido, combiné à l'ambiance détendue et élégante des Zattere avec, en prime, bière, pizza et tout l'espace nécessaire entre les parasols pour l'expression de ses talents artistiques. Concert à 22h le vendredi, soirée DJ le samedi.

>LES ÎLES DE LA LAGUNE

Là où d'autres villes étirent d'interminables faubourgs peuplés de centres commerciaux, Venise a sa lagune bleu turquoise, ponctuée d'îles pittoresques. Se trouvent ainsi à seulement quelques minutes de bateau une ancienne capitale byzantine, le centre de l'artisanat du verre, des couvents désaffectés ou encore des îles-jardins. Les amateurs de shopping fileront en *vaporetto* à Murano pour admirer les pièces de verre produites en série limitée selon des techniques utilisées depuis le VIIIe siècle. Les rêveurs passeront plutôt la journée à naviguer tranquillement sur la lagune pour observer les cigognes qui se balancent pensivement sur une patte et les cormorans qui se sèchent les ailes après leur repas de poisson. Les gourmands prendront le chemin de Burano, une île de pêcheurs aux jolies maisons très colorées, pour se régaler des produits de la mer. Pour achever cette escapade en apothéose : les mosaïques dorées de la cathédrale Santa Maria Assunta de Torcello éblouiront les amateurs d'art et les autres !

À Murano (p. 141), laissez-vous éclairer sur l'art des verriers

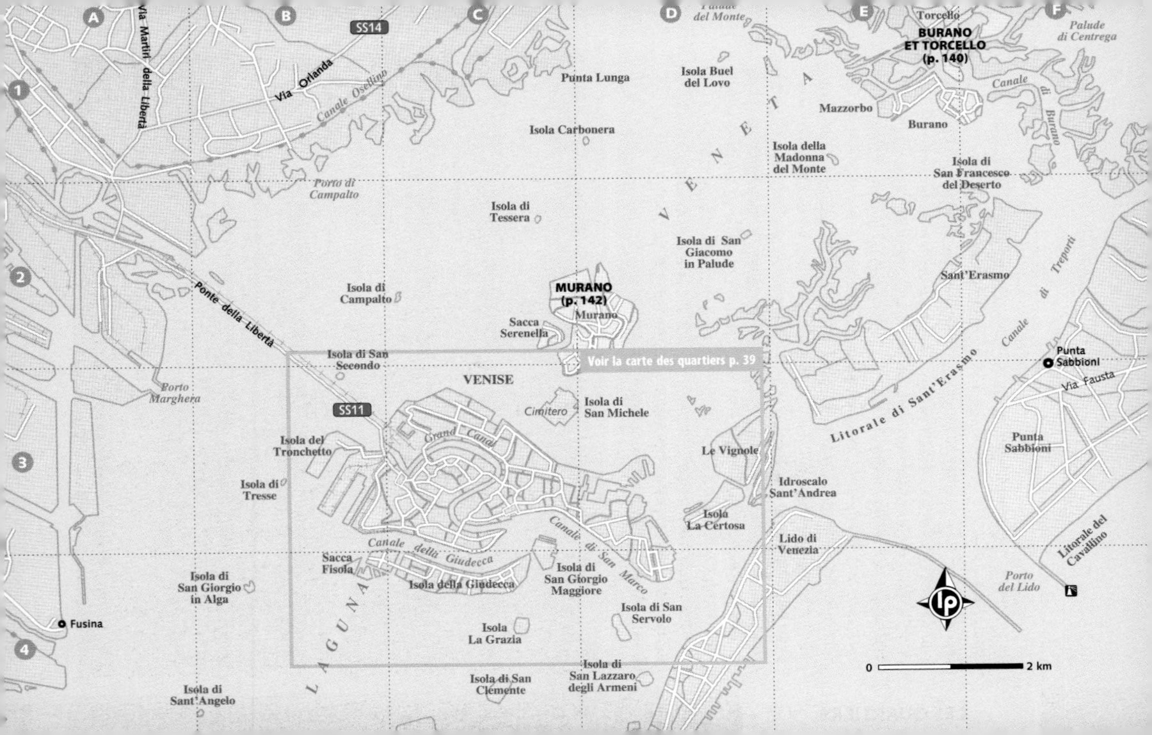
BURANO
ET TORCELLO
(p. 140)
Torcello
Palude di Centrega
Palude del Monte
Punta Lunga
Isola Buel del Lovo
Mazzorbo
Burano
Canale di Burano
Isola Carbonera
Isola della Madonna del Monte
Isola di San Francesco del Deserto
Via Martiri della Libertà
Via Orlanda
Canale Osellino
SS14
Porto di Campalto
Isola di Tessera
Isola di San Giacomo in Palude
Sant'Erasmo
Canale di Treporti
Isola di Campalto
MURANO
(p. 142)
Murano
Sacca Serenella
Ponte della Libertà
Isola di San Secondo
Voir la carte des quartiers p. 39
VENISE
Punta Sabbioni
Via Fausta
Porto Marghera
SS11
Cimitero
Isola di San Michele
Litorale di Sant'Erasmo
Isola del Tronchetto
Grand Canal
Le Vignole
Punta Sabbioni
Isola di Tresse
Idroscalo Sant'Andrea
Isola La Certosa
Lido di Venezia
Canale della Giudecca
Canale di San Marco
Sacca Fisola
Isola della Giudecca
Isola di San Giorgio Maggiore
Litorale del Cavallino
Porto del Lido
Isola di San Giorgio in Alga
Fusina
Isola di San Servolo
Isola La Grazia
LAGUNA VENETA
Isola di San Lazzaro degli Armeni
Isola di San Clemente
Isola di Sant'Angelo
0
2 km
A
B
C
D
E
F
1
2
3
4

VOIR

BURANO

Carte p. 140 ; Burano, Mazzorbo

À seulement 40 minutes de *vaporetto* de San Marco, la charmante île de Burano offre un répit coloré au visiteur guetté par l'overdose de splendeurs gothiques… On confectionne ici des biscuits sablés légèrement citronnés, en forme d'anneau ou de S, absolument délicieux lorsqu'on les trempe dans un verre de vin sucré. Burano est aussi connue pour sa dentelle, mais, au moment de la rédaction de ce guide, le Museo di Merletto était fermé pour restauration et une bonne partie des dentelles vendues dans les boutiques venaient de l'étranger ! Vérifiez donc l'authenticité des produits avant tout achat. Lorsque débarquent les groupes en excursion "dentelle", traversez le pont de bois et gagnez l'île voisine de Mazzorbo, où vous trouverez de l'espace, de la verdure, un terrain de jeux et même des toilettes publiques installées dans l'abside d'une ancienne chapelle ! Voir aussi p. 24.

BURANO ET TORCELLO

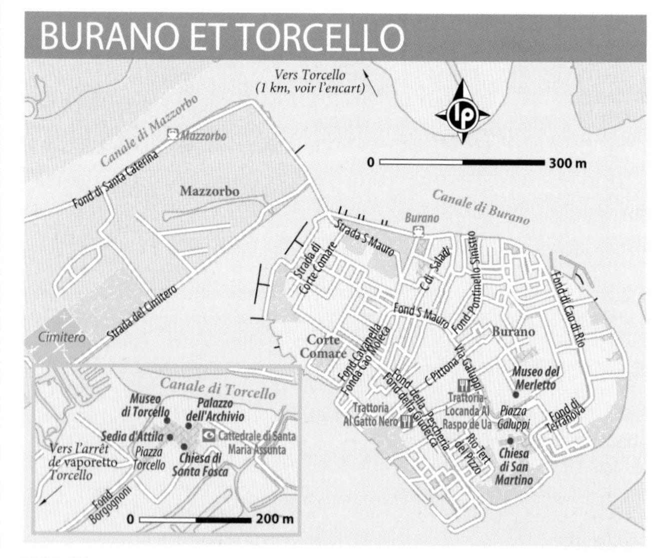

VENISE EN BATEAU

Découvrir Venise depuis la mer est incontournable. Il y a bien sûr le *vaporetto* ou la gondole, mais, pour ceux qui cherchent quelque chose de plus original, voici deux idées.

La *sampierota* est une élégante embarcation à deux voiles, suffisamment petite pour emprunter les canaux et assez robuste pour naviguer en mer. Les bateaux de **Laguna Eco Adventures** (☎ 329 7226289 ; www.lagunaecoadventures.com ; sortie 30-120 €) ne prennent que cinq personnes à bord, autant dire que vous serez seul sur la lagune avec les oiseaux. Il existe plusieurs circuits, notamment un tour des îles et une balade dans les petites rues de Venise au crépuscule. On peut aussi organiser une sortie personnalisée. Consultez la météo avant de réserver – les excursions sont annulées en cas de conditions défavorables.

Le *bragosso* est une barge typiquement vénitienne pouvant accueillir jusqu'à 10 passagers. Cristina della Toffola (p. 143), responsable de **Terra e Acqua** (☎ 347 4205004 ; www.terraeacqua.com ; sortie 70-120 €, déjeuner inclus) est une véritable mine d'informations sur les espèces animales de la lagune. Elle connaît aussi des tas d'anecdotes croustillantes sur l'histoire de la région – par exemple des histoires scandaleuses à propos de couvents dans la Venise débauchée de l'époque baroque. Les circuits qu'elle propose s'adaptent aux désirs des clients et peuvent comprendre Burano, Torcello et d'autres trésors architecturaux de la lagune, mais aussi les îles – aujourd'hui désertes – où les malades de la peste étaient placés en quarantaine, des séances de pêche et d'observation des oiseaux. À l'heure du déjeuner, on mouille au large d'une jolie île et Cristina sert à bord un fameux plat de poissons, accompagné d'un *spritz* (cocktail à base de *prosecco*). Réservez bien à l'avance et n'oubliez pas votre crème solaire.

MURANO

Sur cette petite île, entrepôts de brique et cheminées d'usine dissimulent la vibrante créativité des artistes verriers, cachés dans leurs ateliers. En se promenant le long des canaux, on entend le souffle inquiétant des fours et il ne reste plus qu'à suivre les lumières rougeoyantes pour aboutir dans un atelier et observer les artisans à l'œuvre. Les amateurs trouveront des pièces originales dans les boutiques, à des prix… soufflants.

MURANO COLLEZIONI

Carte p. 142 ; ☎ 041 736272 ; Fondamenta Manin 1c-d ; 10h-17h mar-dim ; Colonna

La Murano Gallery est installée dans un entrepôt de brique. Des pièces uniques y sont exposées, joliment posées sur des socles éclairés. Vous pourrez y voir les créations de trois des verriers les plus réputés – Barovier&Toso, Carlo Moretti et Venini. On peut bien sûr venir pour acheter, mais aussi pour le simple plaisir des yeux… tout le monde est bienvenu.

MURANO

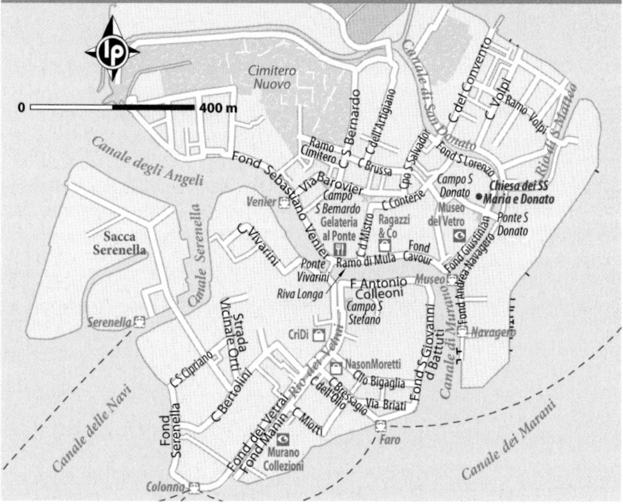

MUSEO DEL VETRO

Musée du Verre ; carte ci-dessus ; ☎ 041 739586 ; www.museicivicivenezianі.it ; 8 Fondamenta Giustinian ; adulte/citoyen UE 6-14 ans, étudiant et senior 5,50/3 €, gratuit avec le Museum pass ou la Venice Card ; 🕑 10h-18h jeu-mar avr-oct, 10h-16h nov-mar, dernière entrée 1 heure avant la fermeture ; Museo

Il y a quelques siècles, les souffleurs de verre qui quittaient l'île risquaient d'être assassinés par peur qu'ils ne révèlent les procédés de fabrication. Depuis 1861, secrets et méthodes sont dévoilés dans ce musée. Des verres irisés romains du IIIe siècle côtoient des pièces postmodernes – remarquez le vaporisateur créé par Maria Grazia Rosin en 1992. À l'étage, la fabrication du verre est expliquée en détails, notamment la technique utilisée pour la création des perles de Venise. On peut aussi admirer les pièces extravagantes créées au XVIIe siècle, comme les "verres à ailes", ainsi que la pieuvre réalisée en 1930 par Carlo Scarpa et les *Inutili* de Romano Chirivi (1968), des verres à vin dans lesquels on ne peut boire qu'à la paille…

Cristina della Toffola

Capitaine d'un bragosso *et spécialiste de la faune de la lagune*

Le bateau dans les gènes L'un de mes frères construit des gondoles [au Squero di San Trovaso, p. 115], l'autre est gondolier. Nous travaillons parfois ensemble, mais ils sont plus jeunes que moi, donc c'est moi qui commande ! *[rires]* **Combien de fois est-elle tombée dans un canal ?** Les Vénitiens ne tombent jamais à l'eau ! Bon d'accord, une fois, j'ai glissé en aidant quelqu'un à monter à bord. Rien de grave mais pas très agréable : un canal n'a rien d'une piscine – en particulier question odeur. Alors faites attention, surtout après avoir bu un *spritz*…

Les oiseaux de la lagune Cigognes, cormorans, martins-pêcheurs et guifettes noires, que les Vénitiens appellent *cocal*, en référence au cri qu'elles poussent.

Tout le monde est concerné L'Unesco a raison, Venise n'est pas la propriété de ses habitants, c'est un trésor qui appartient au monde entier. Chacun doit en prendre soin : ne jetez pas de détritus, n'allez pas trop vite en bateau et manœuvrez prudemment dans les zones où vivent des animaux.

TORCELLO

Cette île sauvage doit sa renommée à son statut d'ancienne capitale byzantine. À la descente du *vaporetto*, suivez le chemin pavé qui longe la lagune et les enclos à moutons pour rejoindre la charmante place centrale (10 min de marche). Envahie de végétation, elle est bordée par un petit musée, plusieurs boutiques d'antiquités, et surtout par la magnifique et incontournable Cattedrale di Santa Maria Assunta. Voir aussi p. 24.

CATTEDRALE DI SANTA MARIA ASSUNTA

041 296 0630 ; Piazza Torcello ; église/église et musée 4/6 € ; 10h30-18h mars-oct, 10h-17h nov-fév, dernière entrée 30 min avant la fermeture ; Torcello

Les mosaïques de cette église du Moyen Âge devaient marquer les esprits : à l'espérance de la vie éternelle auprès de la Vierge, représentée sur fond d'or dans l'abside, s'oppose la perspective de tomber entre les mains du diable. Si vous avez le temps, montez en haut du campanile (dernière entrée 1 heure avant la fermeture) pour la vue sur la lagune, ou bien allez jeter un œil sur les bronzes de l'époque romaine et les vestiges en pierre de la période byzantine, exposés dans le petit musée de l'autre côté de la place.

Représentations médiévales de l'enfer, mosaïques de la Cattedrale di Santa Maria Assunta

SHOPPING

MURANO

CRIDI *Verrerie*

Carte p. 142 ; ☎ 041 5275379 ; Fondamenta dei Vetrai 116 ; 9h-13h et 15h-17h30 lun-sam ; Colonna

Des étagères remplies de petits objets à offrir, entre 15 et 75 €. Les propriétaires, des artistes verriers, créent des bijoux, notamment des bagues, en façonnant le verre "à la lampe" : ils travaillent au chalumeau à partir de cannes de verre et forment étoiles, volutes psychédéliques et toutes sortes d'autres motifs. Admirez aussi les bagues, très chics, délicatement sculptées dans le matériau refroidi.

NASONMORETTI *Verrerie*

Carte p. 142 ; ☎ 041 5274866 ; www.nasonmoretti.com ; Fondamenta Manin 52 ; 10h-18h lun-sam ; Colonna

Quelle est la marque de fabrique de cette maison installée depuis les années 1950 ? Des formes asymétriques et des combinaisons bicolores originales. La troisième génération de créateurs fabrique actuellement des vases à partir d'une couche de cristal lourd posée sur du verre coloré, créant une impression saisissante de couleur liquide prise dans de la glace. Les prix débutent à 31 € (pour un verre fait à la main et signé), mais, étant donné l'intérêt des musées américains, ils ne devraient pas rester éternellement à un niveau si raisonnable...

RAGAZZI & CO *Verrerie*

Carte p. 142 ; ☎ 041 736818 ; Ramo di Mula 16 ; 9h30-17h30 lun-sam ; Museo

Les œuvres de cet artiste verrier sont originales, telles cette reproduction d'un tableau de Klimt fondu dans une assiette, cette minilagune enfermée sous du verre ou encore de l'encre renversée sur un vase à pois... Le motif récurrent – et reproduit à l'infini sur de petites assiettes ovales ou des porte-clés carrés plaqués en acier – est une version abstraite du traditionnel *millefiori*. Les prix sont raisonnables : à partir de 38 €.

SE RESTAURER

BURANO

TRATTORIA AL GATTO NERO

Cuisine vénitienne €€€

Carte p. 140 ; ☎ 041 730120 ; www.gattonero.com ; Via Giudecca 88 ; 12h-15h30 et 19h30-21h30 mar-dim ; Burano

Maintenant que gourmets, stars et professionnels du cinéma se sont entichés de ce restaurant excentré, il est indispensable de réserver si l'on veut avoir une chance de goûter les *taglioni* maison à l'araignée de mer, le risotto

Kaléidoscope de couleurs sur l'île de Burano (p. 140)

aux langoustines, le poisson grillé d'une absolue fraîcheur et les biscuits de Burano, parfaitement réussis. Service efficace, même en terrasse : profitez-en pour vous installer au bord du canal.

TRATTORIA-LOCANDA AL RASPO DE UA

Cuisine vénitienne €€

carte p. 140 ; ☎ 041 730095 ; www.alraspodeua.it ; Piazza Galuppi 560 ; Burano

Agréablement installé sur la place, à l'écart des groupes de touristes en quête de dentelle, essayez les subtiles pâtes aux crevettes et terminez sur un *vino santo* accompagné de biscuits de Burano.

MURANO

GELATERIA AL PONTE

Glaces, sandwichs €

Carte p. 142 ; ☎ 041 736278 ; Riva Longa 1c ; 9h-17h lun-sam ; Museo

Un panini jambon-fromage (3-5 €) et une glace (2 €) : vous voilà rassasié sans avoir entamé votre budget shopping. Commandez au comptoir si vous êtes pressé, le service en salle est parfois lent.

>ZOOM SUR…

À Venise, le bonheur est souvent au détour d'un pont ou juste à quelques rues de là… Voici néanmoins quelques bonnes idées et adresses.

Les maquettes de Gilberto Penzo (p. 88) : des gondoles à emporter chez soi

GRAND CANAL

Le Grand Canal porte bien son nom : avec 50 palais, 6 églises, 4 ponts, 2 marchés en plein air et une magnifique prison (du moins de l'extérieur), sans oublier le décor de quatre films de James Bond, il est à la hauteur de sa réputation. Pour prendre toute la mesure de sa splendeur, remontez-le de nuit, lorsque les embarcadères illuminent l'eau et que les fenêtres des palais révèlent des chandeliers de Murano et des plafonds de Tiepolo.

Votre balade nocturne sera plus romantique encore à bord d'une gondole ou d'une *sampierota* (étroite barque à voile). Les remous provoqués en journée par les *motoschiaffi* (bateaux à moteur) agitent les embarcations plus petites et érodent les *fondamente* (berges) du Grand Canal, à la consternation des Vénitiens et surtout des gondoliers qui rechignent à emprunter le Grand Canal. À moins de disposer d'un yacht et d'une autorisation de filmer (comme Martin Campbell pour *Casino Royale*), le *vaporetto* n°1 est le meilleur moyen d'admirer le Grand Canal de jour. Le billet de *vaporetto*, valable 12 heures, permet de monter et de descendre autant de fois que l'on veut. Depuis la gare, en direction de la place Saint-Marc, repérez les monuments suivants.

À votre droite, l'édifice baroque qui surplombe le canal est la Ca' Pesaro (p. 99). Construit par Baldassare Longhena, ce palais possède une façade en marbre reconnaissable à ses profondes arches doubles. Il abrite la Galleria d'Arte Moderna et le Museo Orientale.

Le *vaporetto* s'arrête ensuite sur la gauche, devant la Ca' d'Oro (p. 71), un bel exemple de gothique vénitien avec ses deux étages d'arcades ajourées et décorées comme des dentelles. Reine de beauté, cette superbe demeure est coiffée d'une fine couronne sculptée. Descendez ici pour voir le splendide *Saint Sébastien* d'Andrea Mantegna.

Si vous faites cette balade le matin, vous entendrez les bruits des marchés de fruits et légumes du Rialto (p. 94) et même ceux du marché couvert de la Pescheria (p. 94) avant de les voir apparaître, sur votre droite. Les poissonniers et les marchands vantant leurs poissons du jour et leurs artichauts en dialecte vénitien vous donnent faim ? Alors descendez ! Le *vaporetto* passe ensuite sous le Ponte di Rialto (p. 86), où les touristes penchés au-dessus du parapet pour prendre des photos ressemblent à des gargouilles.

Au tournant suivant apparaît à droite la splendide Ca' Rezzonico (p. 109). Longhena la dota de deux niveaux de somptueuses fenêtres en arcades qui illuminent naturellement les plafonds peints par Tiepolo à l'intérieur. Descendez du *vaporetto* pour faire le plein d'art baroque dans ce musée.

De l'autre côté du canal se dresse le Palazzo Grassi (p. 47), récemment ramené à la vie par le milliardaire François Pinault et l'architecte minimaliste Tadao Ando. Devant l'édifice, sur l'embarcadère, sont installées des œuvres controversées d'art contemporain comme le crâne géant de Subodh Gupta, fait de casseroles. Pour visiter la dernière exposition, descendez à l'arrêt suivant, Ponte dell'Accademia (p. 113).

Sur la rive droite se trouve le modeste palais de la collection Peggy Guggenheim (p. 113). Une statue d'Alexander Calder jouxte l'embarcadère, et l'on peut distinguer, entre les buissons, *L'Ange de la ville* (1948), de Marino Marini, figure nue sur un cheval. Pour l'observer de plus près, l'arrêt de *vaporetto* suivant se situe en face de la Chiesa di Santa Maria della Salute (p. 112). Auréolée d'échafaudages semi-permanents et d'un certain mystère, cette église étrangement octogonale évoque un temple romain. Entrez pour admirer les Titien ou continuez votre chemin pour passer devant la Punta della Dogana (p. 114).

Votre découverte du Grand Canal s'achève près de la place Saint-Marc, à l'arrêt San Zaccaria. Longez le palais des Doges (p. 45) à votre gauche et entrez dans les Prigioni Nuove ("nouvelles prisons") juste à temps pour le concert de jazz du soir (p. 69).

En haut à gauche Vue depuis le Ponte dell'Accademia (p. 113)

CUISINE

Les chefs vénitiens ne jurent que par les produits locaux. Il faut dire que la ville est entourée d'îles couvertes de vergers et d'une lagune pleine de poissons… Venise possède des spécialités locales inconnues du continent : les ingrédients sont servis frais, le jour même, dans les bars et les restaurants de la ville. Et c'est grâce à son esprit cosmopolite que Venise a toujours su rester à l'avant-garde des modes culinaires. Les cuisiniers vénitiens ont élevé au rang d'art certains plats traditionnels comme les *sarde in saor* (sardines en marinade d'oignons) et la *baccalà mantecato* (purée de morue à l'ail et au persil). Des plats qu'ils réinventent en permanence en s'inspirant de toutes les saveurs qui parvenaient à Venise par la route des épices. Quelques ingrédients venus d'autres régions de l'Italie s'imposent parfois, comme les filets de bœuf toscan et les oranges sanguines de Sicile, mais toujours avec modération.

On trouve toujours une place au bar pour picorer de délicieux *cicheti* (tapas vénitiennes) et les restaurants préparent des dîners mémorables. Découragés par les rumeurs affirmant qu'il est impossible de bien manger pour pas cher à Venise, certains touristes se contentent d'une part de pizza sur la place Saint-Marc. S'ils savaient que, pour le même prix, ils peuvent s'offrir des *crostini* aux crevettes et aux artichauts grillés, ou un tartare de thon aux fraises des bois et réduction de vinaigre de balsamique…

Si l'on sait où chercher, Venise est un paradis pour gourmands. Méfiez-vous des restaurants dont la carte indique certains plats *surgelati* (surgelés). Les lasagnes, les spaghettis à la bolognaise et les pizzas ne sont pas d'origine vénitienne : les pièges à touristes sont quasi les seuls à proposer les trois. Préférez les établissements sans carte ou dont le menu a été griffonné en hâte à la craie ou imprimé exclusivement en italien. Cela indique que le chef adapte ses plats en fonction des ingrédients trouvés sur le marché.

Les meilleurs plats sont parfois pris debout au bar, vers 18h30, à l'heure des *cicheti*. Toutefois, n'hésitez pas à vous offrir une bonne table avant votre départ, dans une discrète *osteria* ou dans un restaurant au bord du canal. Pour gagner la sympathie du serveur et du chef, quelques conseils :

Ignorez la carte. Demandez conseil au serveur sur les plats de saison et les spécialités de la maison. Choisissez-en deux puis laissez-lui le choix. Fermez la carte d'un coup sec et dites *"Allora, facciamo cosi, per favore !"* ("Bon, on fait comme ça, s'il vous plaît !"). Le garçon sera ravi et le chef, flatté.

Choisissez des vins régionaux. L'eau minérale n'est en rien nécessaire (l'eau du robinet se dit *acqua al rubinetto*), mais un bon repas appelle du vin, souvent servi au verre ou à la demi-bouteille. Si son nom ne vous dit rien, pas de panique : les petits domaines les plus intéressants vendent leurs productions aux restaurants de la cité et ne sont pas exportés.

N'assaisonnez pas vos primi *(entrées)*. Vous constaterez le soulagement du serveur. Les pâtes aux fruits de mer sont suffisamment riches et savoureuses, ne les noyez pas sous une montagne de parmesan ou de sauce épicée.

Optez pour des fruits de mer locaux. Rien ne vous oblige à commander un apéritif ou un *secondo piatto* (plat principal). Mais sachez que le talent d'un chef vénitien se juge à ses entrées de poissons et à sa *frittura* (fruits de mer frits). Goûtez-les d'abord sans citron : les Vénitiens affirment que leur goût délicat s'accorde mieux à un peu de sel et de poivre.

LES MEILLEURES ADRESSES DE…

… "CICHETI"

- All'Arco (p. 91)
- Osteria I Rusteghi (p. 54)
- Alla Vedova (p. 77)
- Un Mondo di Vino (p. 80)
- Pronto Pesce Pronto (p. 94)

… NOUVELLE CUISINE VÉNITIENNE

- Anice Stellato (p. 77)
- Osteria di Santa Marina (p. 68)
- Al Fontego dei Pescatori (p. 77)
- Vecio Fritolin (p. 106)
- I Figli delle Stelle (p. 130)

… CUISINE VÉNITIENNE TRADITIONNELLE

- Al Covo (p. 66)
- Ristorante Cantinone Storico (p. 120)
- Ristoteca Oniga (p. 120)
- Trattoria al Gatto Nero (p. 145)
- Vini da Gigio (p. 79)

… SPÉCIALITÉS

- Glaces : Alaska Gelateria (p. 104)
- Viande : Ristorante La Bitta (p. 120)
- Végétarien : Osteria La Zucca (p. 106)
- Chocolat : Pasticceria Gobbetti (p. 120)
- Steaks : Vini da Arturo (p. 54)

ARCHITECTURE

L'architecture de Venise est un perpétuel sujet d'émerveillement. Les édifices que l'on peut aujourd'hui admirer, fruits d'une histoire cosmopolite, couvrent toutes les époques, du byzantin de la Cattedrale di Santa Maria Assunta (Torcello, p. 144), construite du VIIe au IXe siècle, au modernisme de Tadao Ando, qui vient de réaménager les bâtiments des douanes de la Punta della Dogana (p. 114). Indéfinissable et à mi-chemin de l'Orient et de l'Occident, la basilique Saint-Marc (p. 41) rassemble presque tous les styles, du byzantin de Constantinople au néo-Renaissance du XIXe siècle. Dans le style gothique, I Frari (p. 84), Zanipolo (p. 64) et la Chiesa della Maria dell'Orto (p. 74) sont plus austères que leurs contemporains français. Avec Jacopo Sansovino (1486-1570) et Andrea Palladio (1508-1580), la Renaissance vénitienne donna naissance à un genre conciliant géométrie classique et sens très baroque de l'espace intérieur, comme l'illustrent la Chiesa di San Giorgio Maggiore (p. 126) et Il Redentore (p. 128). Et lorsque les règles du classicisme commencèrent à se figer, Baldassare Longhena (1598-1682) bouleversa le baroque du XVIIe siècle avec sa Chiesa di Santa Maria della Salute (p. 112).

Chacun affectionne plus particulièrement un genre dans l'échiquier architectural qu'est Venise. Le critique d'art John Ruskin s'enthousiasmait pour le gothique byzantin de la basilique Saint-Marc et détestait Palladio et sa Chiesa di San Giorgio Maggiore. Les palladiens méprisaient le rococo. Les fans du rococo de la Ca' Rezzonico étaient outrés par le style Art nouveau (Liberty en italien) du Lido.

Tout le monde fut en revanche horrifié par les projets de destruction en faveur de l'industrie. Après que les édifices baroques de la Giudecca eurent laissé place à des usines, il fallut des décennies à la ville pour s'en remettre. Les architectes se réfugièrent dans le style dit *venezianitá*, qui empruntait des éléments à diverses périodes, associant par exemple trèfles gothiques et coupoles baroques sur un même édifice. Certains y virent même la fin de l'architecture vénitienne…

Les inondations de 1966 provoquèrent une prise de conscience face à la menace de voir le patrimoine architectural vénitien condamné. Surmontant leurs désaccords, des soutiens du monde entier se manifestèrent pour porter secours aux palais et renforcer les fondations de la cité. Ces efforts ainsi que le postmodernisme marquèrent l'avènement d'idées nouvelles. Les architectes, plutôt que d'éliminer un genre ou de camoufler les différences, utilisèrent ainsi des techniques modernes pour remettre en valeur l'héritage vénitien de manière créative. C'est ainsi que la Fondazione Giorgio Cini convertit une académie navale en galerie d'art, et que Tadao Ando a transformé les bâtiments des douanes de la Punta della Dogana en un espace d'exposition d'art contemporain.

LES PLUS BEAUX MONUMENTS

> Basilique Saint-Marc (p. 41)
> Chiesa di San Giorgio Maggiore (p. 126)
> Palais des Doges (p. 45)
> Chiesa di Santa Maria dei Miracoli (p. 74)
> Chiesa di Santa Maria delle Salute (p. 112)

LES PLUS BEAUX ÉDIFICES MODERNES

> Palazzo Grassi (p. 47)
> Pavillons de la Biennale (p. 59)
> Fondazione Querini Stampalia (p. 59)
> Fondazione Giorgio Cini (p. 127)
> Punta della Dogana (p. 114)

En haut à gauche Le gothique flamboyant du palais des Doges (p. 45) **Ci-dessus** Les proportions parfaites de Santa Maria della Salute (p. 112)

ARTISANAT

Difficile de décrire les souvenirs rapportés de Venise sans avoir l'air de se vanter. "C'est une pièce originale", direz-vous, "j'ai même rencontré l'artisan." Disparues ou cristallisées en reliques d'un passé révolu dans le reste du monde industrialisé, les traditions artisanales vénitiennes sont demeurées bien vivantes, innovantes et étonnamment accessibles.

Des astucieux journaux de voyage (12 €) ou cahiers de recettes de cuisine en papier marbré (*carta marmorizzata*) aux chaussures en cuir fabriquées sur mesure (200 €), les artisans vénitiens vendent leurs créations à des prix raisonnables et même comparables à certains articles de marques fabriqués en série. Le sac le plus branché des rues parisiennes vous semblera peut-être bien fade à côté des bourses vénitiennes faites en papier marbré ou dans de magnifiques velours imprimés, et les bijoux en verre de Murano soutiennent facilement la comparaison avec les joyaux des plus grands bijoutiers.

Comment dénicher les meilleures affaires ? D'abord, il faut savoir où chercher : explorez les ruelles de San Polo, Santa Croce, Dorsoduro, San Marco, Castello et Murano. Les ateliers et salles d'expositions des artisans locaux sont souvent rassemblés dans un même quartier. Les vitrines remplies de verreries et d'objets fragiles indiquent parfois *Non Toccare* (Ne pas toucher). Pour éviter les accidents, demandez simplement à voir ce qui vous intéresse de plus près. La personne qui tient la boutique est souvent l'artisan lui-même, alors ne soyez pas avare de compliments (*"Complimenti !"*). À l'heure de l'uniformisation, l'artisanat traditionnel vénitien mérite notre estime.

LES OBJETS LES PLUS ORIGINAUX

- Sacs à main en papier chez Carté (p. 87)
- Boucles d'oreilles émaillées en forme de crâne chez Sigfrido Cipolato (p. 66)
- Livres de recettes imprimés à la main chez Il Pavone (p. 117)
- *Forcole* (support en bois pour les rames) chez Pastor (p. 118)
- Bracelets en anémones de mer chez Gualti (p. 115)

LES PLUS BELLES VERRERIES

- Colliers en perles de verre chez Marina e Susanna Sent (p. 117)
- Vases en cristal chez NasonMoretti (p. 145)
- Moustiques en verre chez I Vetri a Lume di Amadi (p. 89)
- Assiettes en verre chez Ragazzi & Co (p. 145)
- Bagues en verre chez CriDi (p. 145)

MUSIQUE ET OPÉRA

Si la Sérénissime possédait déjà des musiciens officiels et une musique profane à l'apogée de sa puissance, c'est seulement quand son déclin s'amorça, aux XVIIe et XVIIIe siècles, que la musique vénitienne prit toute son ampleur. Avec des profits commerciaux en baisse, l'État eut l'idée, apparemment saugrenue, d'assurer l'éducation musicale des orphelins. L'investissement s'avéra extraordinairement lucratif. En effet, les visiteurs de passage dans la ville témoignèrent de l'immense talent des enfants, et Venise, considérée dès lors comme une capitale du divertissement, attira les célébrités et les fortunes du monde entier.

Venise n'avait alors rien à envier aux émissions consacrées à la recherche de nouveaux talents que l'on voit aujourd'hui à la télévision. Ainsi, Monteverdi, père de l'opéra moderne, fut nommé en 1613 chef d'orchestre de la basilique Saint-Marc. De même, l'un des maîtres embauchés pour diriger les orchestres d'orphelins fut Vivaldi. Il occupa ce poste pendant 30 ans, écrivit des centaines de concertos et contribua à la réputation de la musique vénitienne en Europe.

Il est encore possible d'assister à des concerts donnés dans des conditions semblables à celles de l'époque de Vivaldi, dans des palais, des églises et des *ospedaletti* (orphelinats). Les musiciens jouent sur des instruments d'époque, dans le respect d'une tradition musicale née il y a des siècles.

LES MEILLEURS SALLES ET CONCERTS

> La Fenice (p. 57)
> Les Interpreti Veneziani (p. 97) à la Scuola Grande di San Rocco
> Jazz in Venice (p. 69) aux Prigioni Nuove
> Musica a Palazzo (p. 56) dans le Palazzo Barbarigo-Minotto
> L'orchestre de musique de chambre de Venise à la Ca' Rezzonico (p. 109)

LES MEILLEURS SOUVENIRS MUSICAUX

> CD et livres spécialisés chez Mondadori (p. 51)
> Harmonicas et luths chez Mille e Una Nota (p. 89)
> Copies des costumes portés par les divas de La Fenice chez Banco 10 (p. 65)
> CD chez Parole e Musica (p. 65)
> Biographies de Vivaldi à la Libreria Studium (p. 50)

SHOPPING

Les églises et les musées sont bien jolis, mais inutile de se voiler la face : en Italie, on finit toujours par faire les boutiques. Ce n'est pas une raison pour rapporter l'un de ces masques en porcelaine scintillants à coller sur le frigo ou une chemise de gondolier à rayures (qui, portée dans un autre contexte, aura tout de même un certain charme). À Venise, vous pouvez dénicher des articles d'authentiques artisans locaux, réellement uniques en leur genre.

Dans la Via Largo XXII Marzo et dans la Calle dei Fabbri, à San Marco, vous croiserez bien sûr les grands noms de la mode italienne. Mais les plus belles trouvailles et les meilleures affaires vous attendent de l'autre côté du Grand Canal, dans les petites boutiques de San Polo et de Dorsoduro. On peut aussi trouver de vrais trésors sur les marchés en plein air : ravissants médaillons en émail ou véritables pipes de pirates. Vous achèterez un chapeau tout en soutenant une bonne cause dans une boutique de commerce équitable. Enfin, produits alimentaires et vins font de jolis cadeaux.

LE MEILLEUR…

… DE LA MODE

- Fiorella Gallery (p. 48)
- Maliparmi (p. 50)
- Penny Lane Vintage (p. 103)
- Venetia Studium (p. 51)
- Hibiscus (p. 88)

… DE LA DÉCO

- Madera (p. 117)
- NasonMoretti (p. 145)
- Fortuny Tessuti Artistici (p. 128)
- Sabbie e Nebbie (p. 90)
- Epicentro (p. 48)

LES MEILLEUR(E)S…

… ANTIQUAIRES

- Caterina Tognon Arte (p. 44)
- Antichità Teresa Ballarin (p. 115)
- Galleria Traghetto (p. 45)
- Campiello Ca' Zen (p. 87)
- Mercantino dei Miracoli (p. 114)

… BOUTIQUES

- Banco 10 (p. 65)
- Tous les artisans de la ville (voir p. 156)
- Le Botteghe (p. 49)
- Acqua Altra (p. 115)
- Marchés aux puces (voir encadré p. 114)

EXPÉRIENCES CÉLESTES

Après quelques jours à flâner dans la cité, la plupart des visiteurs partagent le même sentiment : Venise est vraiment divine. Les hautes arches vénitiennes gothiques et les coupoles des synagogues surmontant les toits s'élèvent vers le ciel. Les musées conservent des chefs-d'œuvre inspirés de thèmes religieux et les anges sont omniprésents dans l'architecture de chaque autel et de chaque *scuola* (confrérie religieuse). Les Vénitiens ayant survécu aux épidemies de peste, aux inondations et aux invasions érigèrent quelque 107 églises et 7 synagogues pour exprimer leur reconnaissance.

Au cours de certaines fêtes, comme la Festa del Redentore (p. 29) et la Festa della Madonna della Salute (p. 30), des pontons formés de bateaux alignés les uns contre les autres sont construits sur les canaux. Au risque de tomber dans l'eau, les Vénitiens les traversent et allument des bougies commémorant la survie de leur cité flottante. Et chaque fête – célébrant un saint ou un événement – est l'occasion de préparer des friandises et de lever son verre à la *bea vita* (belle vie).

Où commencer ? Dans la basilique Saint-Marc (p. 41), évidemment. Le Museo delle Icone (p. 59) et le Museo Ebraico di Venezia (p. 75) montrent aussi la diversité des traditions religieuses vénitiennes. Si des lieux retirés comme la Chiesa di San Giorgio Maggiore (p. 126) sont des havres de dévotion, la foi est également présente dans des institutions plus modestes comme la Chiesa di Santa Maria dei Miracoli (p. 74) ou encore la Chiesa di San Sebastiano (p. 109).

DIVINES ŒUVRES D'ART

- Les mosaïques de la basilique Saint-Marc (p. 41)
- *L'Assomption de la Vierge* dans l'église I Frari (p. 84)
- *Le Jugement dernier* dans la Chiesa della Madonna dell'Orto (p. 74)
- L'escalier dessiné par Longhena dans la Scuola Grande dei Carmini (p. 114)
- La galerie des femmes dans la Schola Spagnola (p. 75)

PÉCHÉS MORTELS

- Truffes au chocolat et au vinaigre balsamique chez Vizio Virtu (p. 91)
- *Zaete* (biscuits) et *krapfen* (beignets) lors de la Festa della Madonna della Salute (p. 30)
- Un *macchiato* au Paradiso (p. 69), en pleine Biennale
- Glace à la pistache à la Gelateria San Stae (p. 105)
- *Prosecco* et poésie au Sacro e Profano (p. 96)

VENISE HORS SAISON

Le mouvement le plus entêtant des *Quatre saisons* de Vivaldi est l'hiver, et ce n'est pas un hasard. Le bruit étouffé des pas dans la neige, la glace gouttant des fenêtres gothiques, le claquement des bottes à la porte des bars… Vivaldi ne manquait pas de sources d'inspiration. En hiver, les Vénitiens baissent la garde ; les chefs et les artisans sont ouverts et bienveillants. La place Saint-Marc est généralement désertée, pour le bonheur des touristes qui rêvent de chocolats chauds.

Mais il n'y a pas que le charme. En visitant Venise entre novembre et mars, à l'exception des périodes de Noël et du Carnaval, tous les prix baissent, des chambres aux repas et aux boissons. Les musées sont vides, les restaurants ouverts proposent une carte réduite à des clients essentiellement vénitiens. Sans les interminables files d'attente, on profite tranquillement de Titien aux Gallerie dell'Accademia et du mouvement futuriste à la collection Peggy Guggenheim. Plus tard, on discutera des couleurs de Venise bien au chaud, autour d'un verre…

ACTIVITÉS HIVERNALES

> Apprendre l'italien à l'Istituto Venezia (p. 121)
> Assister aux fêtes de clôture de la Biennale (p. 17)
> Traverser le Grand Canal lors de la Festa della Madonna della Salute (p. 30)
> Apprendre à cuisiner des festins italiens au Friends of Venice Club (p. 121)
> Fêter le Carnaval en costume à La Fenice (p. 57)

SPÉCIALITÉS… DE SAISON

> *Anatra* (canard de lagune)
> *Moscardini* (petits calamars)
> *Granseola* (araignée de mer)
> *Radicchio di Treviso* (chicorée)
> *Fritole* (beignets sucrés) du Carnaval

PRIVILÈGES TOURISTIQUES

> Discuter tranquillement avec les Vénitiens
> Acheter des billets à la dernière minute à La Fenice (p. 57)
> Réserver quand on veut dans n'importe quel restaurant
> Éviter la queue aux Gallerie dell'Accademia (p. 113)
> Profiter du soleil d'hiver éclairant la basilique Saint-Marc (p. 41)

ET POUR SE RÉCHAUFFER

> Chocolat chaud à la vénitienne
> *Brodo di pesce* (bouillon de poisson au safran)
> *Pasta e fasioi* (pâtes aux haricots)
> *Caffè corretto* (café "corrigé" au cognac)
> *Polenta umida* (polenta crémeuse)

"DO IT YOURSELF"

Après le troisième Titien et la dixième gondole, peut-être commencerez-vous à avoir quelques idées. Certes Titien est inimitable et il faut des années de pratique pour devenir gondolier… Mais la peinture et la navigation n'en sont pas pour autant hors de portée. À défaut de rapporter une gondole ou une fresque, les maquettes de Gilberto Penzo et les pigments d'Arcobaleno font d'excellents souvenirs. Mieux encore : vous pourrez aiguiser votre œil artistique dans un atelier d'imprimerie, votre appréciation de la musique baroque grâce à des leçons de musique, ou même votre sens de l'équilibre dans un stage de *voga alla veneta* (l'art vénitien de ramer debout).

À Venise, les sources d'inspiration sont partout. Concevoir son itinéraire de dégustation de vin n'est pas bien difficile : il suffit de faire le tour des *enoteche* (bars à vin) et des *bacari* de la cité. Dessiner son propre costume de carnaval est plus délicat, mais pas impossible. Avec un cours de cuisine et quelques recettes (consulter www.venicevenetogourmet.com), vous deviendrez un expert des apéritifs vénitiens. Si cette cité lacustre a une chose à vous apprendre, c'est que tout est possible avec un brin d'imagination.

À ESSAYER ABSOLUMENT

- Réaliser de sombres aquatintes à la Bottega del Tintoretto (p. 81)
- Dessiner son propre costume de carnaval au Teatro Junghans (p. 131)
- Jouer dans un concert de charité avec le Friends of Venice Club (p. 121)
- Traverser le canal de la Giudecca avec Maredicarta (p. 103)
- Créer un masque chez Ca' Macana (p. 121)

LE MEILLEUR ÉQUIPEMENT

- Arcobaleno (p. 48) pour peindre
- Maredicarta (p. 103) pour naviguer
- Gilberto Penzo (p. 88) pour jouer aux petits bateaux
- Drogheria Mascari (p. 87) pour cuisiner
- Les marchés du Rialto (p. 94) pour pique-niquer ou réaliser une nature morte

TCHIN-TCHIN !

Quand il s'agit de boire, Venise bouscule toutes les idées reçues. Les bars de la ville pratiquent deux *happy hours* par jour, de 11h à 15h et de 18h30 à 20h30. Les cocktails emblématiques de Venise, comme le *spritz* (mélange de *prosecco* et d'Aperol ou de Campari) donneront tort à ceux qui affirment qu'on ne mélange pas le vin et les alcools forts. Et ne vous avisez pas de dire aux ouvriers navals que le *prosecco* est un vin de fillette…

De fait, on ne sait pas toujours quelle boisson commander. Le prix n'est pas une preuve de qualité : on peut payer 2 € pour un *spritz* correct et regretter amèrement les 15 € déboursés pour un Bellini. Si vous n'aimez pas votre verre, laissez-le et changez d'adresse !

Dans le reste de l'Italie, l'appellation officielle DOC (*denominazione d'origine controllata*) et la norme d'excellence DOCG (*denominazione d'origine controllata e garantita*) désignent généralement des vins de qualité supérieure, mais la Vénétie ne fait rien comme les autres. Plusieurs petits vignobles régionaux refusent de se soumettre à ces contrôles et écoulent toute leur production dans les restaurants et les bars à vin de la ville. Les terroirs de Vénétie, marécageux ou montagneux, confèrent du caractère aux raisins les plus ordinaires. Le merlot ou le *soave* seront peut-être les meilleures surprises de la carte !

Heureusement, les verres et les demi-bouteilles servis dans les restaurants et les bars à vin permettent toutes les audaces. Même les connaisseurs devraient demander conseil à leurs hôtes. C'est parfois de cette manière que l'on découvre son vin préféré. À la vôtre !

LES MEILLEURS VINS DE VÉNÉTIE

> *Prosecco* – ce blanc pétillant est incontournable

> *Refosco dal peduncolo rosso* – intense et sombre

> *Tocai* – un blanc magnifique et bien structuré

> *Raboso del Piave* – âpre jeune, superbe plus âgé

> *Amarone* – un rouge profond et voluptueux

LES MEILLEURES ADRESSES POUR BOIRE UN(E)…

> *Spritz* à l'Aurora Caffè (p. 56)

> Rialto au B Bar (p. 54)

> Bière Morgana à La Cantina (p. 79)

> Bellini au Harry's Dolci (p. 130)

> Vin au tonneau au Nave d'Oro (p. 95)

>HIER ET AUJOURD'HUI

Les témoins du glorieux passé de Venise au Museo Storico Navale (p. 62)

HIER ET AUJOURD'HUI

HISTOIRE

UN EMPIRE CONSTRUIT SUR UN MARAIS

Il fallait être sous la menace des Huns et des Goths en cette année 452 pour avoir l'idée de fonder une ville sur un marais infesté de moustiques ! Les premiers habitants ne manquaient pas d'habileté et ils ne tardèrent pas à s'élever au-dessus des marécages, enfonçant dans quelque 30 mètres de limon des poteaux de bois sur lesquels reposent Venise.

Une fois installée, la ville entreprit de consolider ses intérêts commerciaux. Alors que Gênes, sa rivale, s'efforçait de trouver des itinéraires vers le Nouveau Monde, Venise s'attachait au contrôle du dernier tronçon de la route des épices et de la route de la soie. Gênes tenta de s'emparer de la ville et de son commerce maritime en 1380, mais, bien qu'affaiblie par une épidémie de peste, Venise finit par l'emporter et étendit sa domination sur un territoire allant de la Dalmatie à Bergame.

Vers 1450, la Sérénissime offrait le visage d'une ville tapissée de mosaïques dorées, emmaillotée de soie froufroutante et baignée d'un encens masquant les relents pestilentiels de la lagune. Le calme régnait grâce à un système complexe assurant l'équilibre des pouvoirs – et au recours à la répression lorsque c'était nécessaire. Le Grand Conseil élisait un doge chargé des affaires courantes, tandis que le Conseil des Dix, sorte de service secret, déjouait les complots grâce à son réseau d'espions.

FAISEURS DE MODE ET FAUTEURS DE TROUBLES

Alors qu'elle perdait du terrain face aux pirates et aux Ottomans, Venise se montra une fois encore à la hauteur de la situation et usa de son charme

MIEUX QUE JAMES BOND

En jouant les agents triples, Venise réussit un coup de maître durant les croisades. La ville avait conclu avec les Francs un marché par lequel elle s'engageait, moyennant la somme de 84 000 marcs d'argent, à libérer la Terre sainte de la domination musulmane. Venise continua néanmoins à commercer avec les puissances musulmanes, de la Syrie à l'Espagne. Le solde de la somme promise n'ayant pas été versé, Venise décida d'utiliser les Francs pour attaquer Constantinople. Le combat mené au nom de la chrétienté permit aux navires de la Sérénissime de repartir chargés d'un riche butin…

NAISSANCE D'UN QUARTIER ROUGE

Au XIVe siècle, la ville imposa aux courtisanes – femmes d'influence et poétesses admirées – d'accrocher des lumières rouges à leur gondole et de n'exhiber leurs charmes que depuis leur fenêtre. Avec 12 000 prostituées enregistrées, Venise possédait concrètement, à la fin du XVIe siècle, un véritable "quartier rouge". De nos jours, les lanternes rouges signalent généralement les chantiers... mais l'on peut toujours faire un repas décadent à l'Antica Carampane ("la vieille prostituée", p. 92), près du Ponte delle Tette ("pont des tétons").

pour conquérir l'Europe. Les peintres vénitiens faisaient alors preuve d'une incroyable audace en réussissant à introduire une dimension sociale et un aspect sensuel dans les sujets religieux les plus classiques. Quant à la musique (p. 157), elle se montrait irrésistiblement entraînante, facilitant les contacts entre les êtres humains, hommes et femmes, Italiens et Allemands, ecclésiastiques et mondains.

L'Église n'appréciait pas. La censure frappa les peintres qui traitaient les sujets sacrés sous une lumière toute charnelle, ainsi que les musiciens interprétant des airs enjoués dans les églises. En 1767, toutefois, sous le feu des reproches de Rome, Venise fit le compte des recettes versées à l'Église durant les dix années précédentes. Étant parvenue à la somme de 11 millions de ducats d'or, la ville s'empressa de fermer 127 monastères et couvents, réduisant de moitié le nombre d'ecclésiastiques et réorientant vers ses coffres de précieux millions.

Pendant ce temps, les modes et les goûts vénitiens se propageaient discrètement dans les salons européens, et la ville devint la cour de récréation des élites. Les couvents organisaient des soirées dignes de celles des casinos (*ridotti*) et le carnaval durait trois mois. Les épouses de marins faisaient appel à de jeunes et beaux *cicisbei* (chevaliers servants) pour assouvir leurs désirs. Par pure coïncidence, sans doute, il arrivait que ces dames soient frappées d'accès de ferveur religieuse les menant neuf mois durant dans la réclusion d'un couvent ; et sans doute est-ce aussi un hasard si les quatre orphelinats (*ospedaletti*) de la ville ne désemplissaient pas. Au XVIIIe siècle, moins de 40% des nobles de la ville se pliaient aux formalités du mariage.

LA FÊTE EST FINIE

Lors de l'arrivée des troupes napoléoniennes, en 1797, la peste et d'autres vicissitudes avaient réduit la population de 175 000 à 100 000 habitants. En 1817, un quart des Vénitiens vivaient dans la pauvreté, et lorsque la ville se souleva contre les Autrichiens, en 1848 et en 1849 (Français et Autrichiens s'étaient échangé le trophée à plusieurs reprises), le blocus imposé la laissa dévastée par le choléra et la famine. Le ressentiment ne cessa de s'envenimer jusqu'au rattachement de Venise au royaume d'Italie, en 1866.

Aux XIXe et XXe siècles, la reine des villes revêtit des habits de tous les jours : des usines surgirent dans la Giudecca et l'on construisit un pont de chemin de fer, auquel Mussolini adjoignit une chaussée routière, reliant littéralement Venise au reste de l'Italie. La guerre et le choc de la déportation massive de la population juive, en 1943 et 1944, contribuèrent au déclenchement d'une crise identitaire. En 1966, les Vénitiens furent nombreux à quitter la ville pour s'installer à Milan et dans d'autres agglomérations florissantes. La Sérénissime avait alors des airs de salle de réception désertée par des invités ayant trouvé une soirée plus tentante…

ALTA ACQUA

La catastrophe se produisit le 4 novembre 1966. Les eaux montèrent à des hauteurs sans précédent, inondant 16 000 habitations et 1 400 ans d'histoire. Millionnaires ou modestes donateurs, des amoureux de Venise se mobilisèrent dans le monde entier et une trentaine d'organismes privés coordonnés par l'Unesco s'occupèrent de réparer les dégâts causés par les eaux. On peut voir sur les photographies de l'époque (www.albumdivenezia.it) des Vénitiens en train de sécher page par page des manuscrits anciens, ainsi que des cafetiers en cuissarde servant des *spritz* à des clients en gondole.

Paradoxalement, c'est peut-être dans le défi posé par les *alte acque* (hautes eaux) que réside le salut d'une ville délaissée par ses habitants, qui vont trouver sur le continent des loyers moins chers et des emplois plus

VENISE POUR DÉCOR

- *Mort à Venise* – Visconti s'inspire du roman de Thomas Mann et filme l'histoire d'un coup de foudre, d'une épidémie et d'un compositeur qui ressemble à Mahler.
- *Identification d'une femme* – ce film d'Antonioni reçut le prix spécial du jury en 1982 à Cannes.
- *Casanova* – choisissez la version de Fellini, avec Donald Sutherland, ou celle de Luigi Comencini.
- *Ne vous retournez pas* – l'efficace thriller de Nicolas Roeg (1973) met en scène une Julie Christie et un Donald Sutherland en proie aux esprits.
- *Casino Royale* – James Bond sur le Grand Canal, pour un final en apothéose.

COMME UN VÉNITIEN À VENISE

Mosaïques byzantines, Festival international du film, collection Peggy Guggenheim, collection d'art de François Pinault... la cosmopolite Venise a des goûts raffinés et accueille volontiers ce qui vient de l'étranger. Nul besoin cependant d'être un riche collectionneur pour devenir un peu vénitien. Sur les 20 millions de visiteurs annuels, seuls trois millions passent la nuit sur place, alors qu'un séjour dans un B&B tenu par des habitants (p. 171) permet d'avoir un contact avec la population locale. Vous pouvez aussi manger comme un Vénitien (p. 152), vous initier à une technique artisanale locale (p. 161) et prononcer quelques mots en dialecte (p. 183). Le plus sûr moyen de s'attirer la sympathie des habitants reste de s'intéresser à eux et à leur ville. Ils sont tellement peu habitués à de telles initiatives qu'ils accueilleront avec surprise et enthousiasme la moindre tentative de conversation.

nombreux, tandis que les navires de croisière déversent chaque jour leurs flots de touristes dans le centre. Venise ne s'est pas encore transformée en parc d'attractions américain ni en nouvelle Atlantide. Tout en cherchant des solutions durables à la montée des eaux (p. 170), la ville demeure un acteur important et créatif du monde d'aujourd'hui, solidement ancrée dans la réalité par ses poteaux de bois et par ceux qui les ont plantés là, les Vénitiens.

VIVRE À VENISE

Ils ne sont qu'une poignée à avoir donné naissance à tous ces palais, peintures, églises et autres merveilles. Dans toute l'histoire, on ne compte que quelque trois millions de Vénitiens dont les grands-parents étaient originaires de la ville. Quel que soit le jour de l'année, le nombre de touristes excède celui des Vénitiens recensés : 60 000 actuellement, dont un quart ont plus de 65 ans. Bien que la population ait diminué de moitié depuis 1848, la ville compte encore 2 000 enfants et conserve un esprit jeune et créatif grâce à ses étudiants. Et si l'on ne croise guère de Vénitiens dans les artères principales, c'est qu'ils préfèrent emprunter les 3 000 petites rues de la ville.

Venise n'est pas seulement, quoi qu'on en dise, une ville de privilégiés. Un millier de palais ont été convertis en hôtels ou en B&B. Réinventant sans cesse des traditions séculaires, les Vénitiens fabriquent de nouveaux objets avec du papier marbré, créent des bijoux en verre soufflé et transforment en de créatifs *cicheti* les poulpes pêchés à la manière de leurs ancêtres. Ici, on ne se repose pas sur les lauriers d'un glorieux passé.

ARTS

Choyés par Venise, les artistes lui ont donné une abondance de chefs-d'œuvre. Quand ailleurs dans le monde leurs homologues succombaient jeunes encore à la plus grande misère, peintres – Titien et Giovanni Bellini, par exemple – et architectes – Jacopo Sansovino et Baldassare Longhena, notamment – ont vécu ici jusqu'à plus de 80 ans, créant des œuvres admirables dans leurs années de maturité. Pour en savoir plus sur l'architecture, voir p. 154.

On retrouve à Venise quelques-uns des plus grands noms de l'histoire de l'art. Giovanni Bellini (v. 1430-1516) fit montre d'un exceptionnel talent dans le traitement de la couleur et l'expression des sentiments. Il transmit son habileté à deux élèves plutôt doués, Giorgione (1477-1510) et Titien (v. 1490-1576), dont de nombreuses œuvres peuvent être admirées aux Gallerie dell'Accademia (p. 113). Si les tons sanguins de Vittore Carpaccio (1460-1526) soutiennent la comparaison avec les rouges de Titien, c'est quand même *L'Assomption* du second, dans la Chiesa Santa Maria Gloriosa dei Frari (p. 84) qui établit finalement la réputation de Venise pour le puissant traitement de la couleur.

Bien que l'histoire de l'art mette souvent l'accent sur la séparation marquée de deux écoles – Venise pour la couleur et Florence pour les idées –, on constate que la Sérénissime débordait d'idées qui n'ont cessé de lui attirer des ennuis. Le Tintoret a certes remporté des commandes publiques, mais la facture de ses œuvres, traversées d'une foudroyante lumière capable d'exprimer, même dans des scènes religieuses, toute la force des sentiments humains, n'a cessé d'alimenter la polémique.

QUELQUES IDÉES DE LECTURE

> *Dictionnaire amoureux de Venise* de Philippe Sollers (éd. Plon) – une déclaration d'amour par un fidèle de la ville.

> *Fable de Venise* d'Hugo Pratt (éd. Casterman) – Corto Maltese, le célèbre marin à la boucle d'oreille, part à l'aventure dans les rues de la ville.

> *La Mort à Venise* de Thomas Mann (éd. Le Livre de Poche) – le chef-d'œuvre du grand auteur allemand avec Venise pour véritable héroïne.

> *Venise et l'Orient* d'Aurélie Clemente-Ruiz (éd. Gallimard, coll. Découvertes) – l'histoire de la ville largement illustrée et au format poche.

> *Venise. La cité des Doges* de Viviane Bettaïeb et Bruno Fourure (éd. Gallimard Jeunesse) – un guide illustré pour ceux qui voyagent avec des enfants.

Personne n'a jamais critiqué les teintes lumineuses de Véronèse (1528-1588), mais il fut en butte à la censure de l'Église pour avoir décidé de représenter des Allemands, des Turcs, des joueurs et des chiens parmi les apôtres de *La Cène*. Il refusa de modifier le tableau, qui fut simplement rebaptisé *Le Repas chez Lévi*.

Laissant de côté les thèmes nobles, Pietro Longhi (1701-1785) représenta, parfois de manière satirique, la société vénitienne. Giambattista Tiepolo (1696-1770), lui, fit tournoyer les plafonds sous des volutes rococo baignées de lumière. Un grand nombre d'artistes vénitiens délaissèrent les paradis célestes au profit des paysages régionaux, le plus connu d'entre eux étant Canaletto (1697-1768). Quant à la portraitiste Rosalba Carriera (1675-1757), elle sut saisir dans des miniatures l'expression de ses contemporains.

ENVIRONNEMENT

Quelque 400 ponts sur 200 canaux reliant 117 îlots : le cadre de Venise est à la fois extraordinaire et extraordinairement fragile, l'ensemble n'étant protégé des avancées de l'Adriatique que par une mince barrière d'îles.

On dit que Venise sombre, mais ce n'est pas tout à fait vrai. Construite en partie sur des fondations de bois profondément enfoncées dans le limon de la lagune, la ville garde la tête hors de l'eau depuis des siècles. L'apparition de nouvelles contraintes porte toutefois de terribles coups à ces fondations, qui pâtissent gravement des polluants industriels et des remous provoqués par la vitesse excessive des bateaux à moteur. En outre, le dragage des canaux à des profondeurs importantes afin de permettre l'accueil de pétroliers géants et de navires de croisière a contribué à la montée du niveau des eaux depuis le début du XXe siècle. En 1900, la place Saint-Marc était inondée une dizaine de fois dans l'année, contre environ 60 maintenant. Venise se maintient néanmoins à flot grâce aux progrès de la technologie. Les ingénieurs estiment désormais qu'elle pourrait supporter au XXIe siècle une hausse du niveau des eaux comprise entre 26 et 60 cm – une excellente nouvelle… sauf qu'un groupe d'experts sur le changement climatique a récemment prévu une montée de l'ordre de 88 cm…

Si les solutions d'ensemble ne se trouvent pas d'un claquement de doigts, les gestes simples sont à la portée de tous : recycler les déchets, nettoyer, emporter ses détritus lorsque les poubelles publiques sont pleines, boire de l'eau du robinet (la municipalité doit traiter chaque année entre 20 et

MOSE, UN PROJET CONTROVERSÉ

Le projet MOSE (Modulo Sperimentale Elettromeccanico) a fait couler beaucoup d'encre à Venise depuis 30 ans. Après la grande inondation de 1966, des agences dépendant de l'Unesco se sont alarmées des menaces pesant sur une ville qui renferme bon nombre des plus importantes œuvres d'art au monde. Le sauvetage de Venise n'a pas de prix, estiment les défenseurs du projet MOSE.

Il s'agit d'un système de barrières gonflables mobiles, de 30 m de hauteur et 20 m de largeur, devant fermer les trois entrées de la lagune lorsque le niveau de la mer atteint des hauteurs dangereuses. Le projet, dont le coût est estimé à près de 2 milliards d'euros, n'apporte toutefois qu'une solution partielle, les inondations étant aussi engendrées par des précipitations importantes et la montée des cours d'eau.

De nombreux Vénitiens soulignent par ailleurs que leur ville n'est pas seulement un écrin à bijoux, et que l'impact des solutions proposées sur la vie des habitants doit être évalué. La mise en place des barrières ne va-t-elle pas s'accompagner de la formation d'eaux stagnantes qui poseraient des problèmes de santé publique et risqueraient de faire fuir les touristes ? MOSE va-t-il avoir des conséquences sur les espèces aquatiques locales et provoquer la fin de la pêche dans la lagune ? Ne va-t-il pas simplement repousser les nécessaires solutions aux problèmes de fond ?

Le débat se poursuit, alors même que la construction des barrières a débuté. Et pendant ce temps, les écologistes locaux s'inquiètent des conséquences sur le niveau des eaux, la pêche et la vie quotidienne à Venise, du réchauffement climatique, de l'afflux des navires de croisière et de la pollution causée par l'usine pétrochimique de Marghera.

60 millions de bouteilles d'eau minérale…), demander aux bateaux-taxis d'aller plus lentement afin de ne pas déclencher de vagues, privilégier les commerces locaux : autant d'actions qui encourageront vos hôtes vénitiens dans leurs efforts de préservation de leur ville.

HÉBERGEMENT

Rien ne vous oblige à dormir sur le continent et à vous priver du plaisir de découvrir la cité au petit matin. Certains affirment que Venise manque de lits et qu'il est impossible de s'y loger pour moins de 200 €. C'était peut-être vrai il y a dix ans, mais les choses ont bien changé.

Dernièrement, de nombreux Vénitiens ont en effet ouvert des B&B ou proposent des chambres à louer (*affitacamere*). Moins anonymes que les grands hôtels destinés aux groupes, ces adresses sont souvent situées dans des quartiers authentiques. Avec Internet, il est désormais facile d'évaluer les prix, de trouver des offres de dernière minute ou d'écrire un courriel pour négocier directement un tarif convenable. Vous pouvez consulter les offres sur www.veniceby.com, www.guestinitaly.com ou encore www.bed-and-breakfast.it qui propose une bonne liste de B&B. Le site de l'Azienda di Promozione Turistica (APT), www.turismovenezia.it répertorie aussi 250 *affitacamere* et B&B. En cherchant un peu, vous trouverez des établissements qui ne doublent pas leurs tarifs en haute saison, voire quelques chambres à moins de 100 €.

Si vous souhaitez vraiment loger à Mestre, voilà un argument qui vous fera peut-être changer d'avis. Imaginez que vous êtes à Venise. Le soleil se couche. Jamais la ville ne vous a paru si romantique. Vous finissez votre verre de *spritz*, puis vous vous dirigez vers cette *osteria* vénitienne typique que le guide vous conseille. Le repas est excellent, mais vous devez attraper votre train pour Mestre… et la gare est encore loin. Demain matin, au lieu d'être réveillé par les gondoliers, vous aurez droit à une symphonie de klaxons.

Alors, vous préférez maintenant dormir à Venise ? Les *affitacamere* et les B&B les plus raisonnables sont concentrés dans les parties résidentielles de Santa Croce, de San Polo et de Cannaregio, trois quartiers au charme authentique. Les B&B de San Marco, de Dorsoduro et de Castello, proches des grands sites touristiques, sont plus coûteux. Dorsoduro et San Marco comptent aussi des hôtels de charme.

Si vous rêvez de loger dans un palais avec vue sur le Grand Canal, cherchez du côté de San Marco. Plusieurs palais historiques ont été achetés par des chaînes. Le mot d'ordre de ces luxueux établissements est désormais l'efficacité, pour le meilleur ou pour le pire. Géré par Starwood, le Gritti Palace a conservé son charme vieillot. Le Danieli demeure un incontournable et les amateurs de luxe au bord de l'eau apprécieront l'hôtel Bauer.

PETITS BUDGETS

ALBERGO CASA PERON

☎ 041 710021 ; www.casaperon.com ; Salizada San Pantalon, Santa Croce 84 ; s/d 85/95 €, avec douche 50/60 € ; San Tomà ;

Tenue par une famille, cette petite pension pleine de caractère loue des chambres immaculées, nichées dans des recoins ou au sommet d'une volée de marches. Un perroquet vous salue même à l'entrée. Bien située, elle n'est pas trop éloignée de la gare ferroviaire et proche de la Chiesa dei Frari. Les chambres avec douche n'ont pas de toilettes.

ANTICA LOCANDA MONTIN

☎ 041 5227151 ; www.locandamontin.com ; Fondamenta di Borgo 1147, Dorsoduro ; s 50-70 €, d sans/avec sdb 85-110/110-150 € ; Accademia ;

Cette pension confortable, au bord d'un paisible canal, était l'une des adresses favorites d'Ezra Pound et de Modigliani. Les chambres douillettes, avec parquet ou *terrazzo* vénitien classique, ouvrent sur le canal ou sur le jardin à l'arrière. Les plus belles doubles sont vraiment spacieuses.

FORESTERIA VALDESE

☎ 041 5286797 ; www.foresteriavenezia.it ; Palazzo Cavagnis 5170, Castello ; dort 21-24 €, d 60-93 € ; Ospedale

Près du Campo Santa Maria Formosa, cette vaste demeure du XVIIe siècle est lentement restaurée depuis 1994 ! Pour vous y rendre, prenez la Calle Lunga Santa Maria Formosa, à l'est de la place, et traversez le petit pont : la Foresteria est en face. Le prix des doubles varie en fonction de la chambre.

HOTEL AI DO MORI

☎ 041 5204817 ; www.hotelaidomori.com ; Calle Larga San Marco 658, San Marco ; d avec/sans sdb 140/95 € ; San Zaccaria ;

Près de la place Saint-Marc, cet hôtel propose 11 chambres plaisantes et toutes différentes, certaines avec une vue jolie sur la basilique, d'autres dotées de poutres apparentes. La meilleure, au dernier étage, est une double confortable avec une terrasse privée.

HOTEL DALLA MORA

☎ 041 710703 ; www.hoteldallamora.it ; Salizada San Pantalon, Santa Croce 42a ; s/d 65/95 € ; Ferrovia ;

Au bord d'un petit canal, près de la Salizada San Pantalon, cet hôtel prisé possède des chambres propres et claires. Certaines ont une jolie vue sur le canal et une terrasse. Quelques-unes sont équipées d'une douche et d'un lavabo, d'autres, moins chères, partagent des salles de bains communes dans le hall.

QUEL BUDGET ?

Pour une nuit en chambre double, comptez jusqu'à 120 € pour la catégorie petits budgets, entre 120 € et 280 € pour la catégorie moyenne et plus de 280 € pour les hôtels de catégorie supérieure. N'oubliez pas que les prix varient considérablement selon la période de l'année et n'hésitez pas à comparer !

IL LATO AZZURRO

☎ 041 2444900 ; www.latoazzuro.it ; Via Forti 13, Sant'Erasmo ; dort/s/d 30/52/78 € ; Sant'Erasmo Capannone

Loger à Sant'Erasmo, longtemps le potager de Venise, constitue une expérience unique. Les chambres spacieuses et plaisantes de cet hôtel donnent sur une véranda. Les repas, à dominante végétarienne, sont préparés avec des légumes cultivés sur place. N'oubliez pas de vous munir d'antimoustique.

LOCANDA AL RASPO DE UA

☎ 041 730095 ; www.alraspodeua.com ; Via Galupi 560, Burano ; s/d 45/85 € ; Burano ;

Seul hébergement sur Burano, cette modeste pension est située dans la rue principale. Les chambres, sont simples et accueillantes. Loger ici est l'occasion de découvrir un autre aspect de la lagune : après le départ des derniers touristes en fin d'après-midi, vous serez seul avec les habitants sur cette charmante île aux tons pastel.

LOCANDA CASA PETRARCA

☎ 041 5200430 ; www.casapetrarca.com ; Calle delle Schiavine 4386, San Marco ; s/d 95/135 €, sans sdb 70/112 € ; Rialto ;

Tenue par une famille chaleureuse, cette pension comprend 6 chambres sans prétention et impeccables. C'est l'une des meilleures adresses de San Marco dans cette gamme de prix. Du Campo San Luca, prenez la Calle dei Fuseri, tournez dans la seconde rue à gauche, puis à droite dans la Calle delle Schiavine.

PENSIONE GUERRATO

☎ 041 5285927 ; www.pensioneguerrato.it ; Ruga due Mori, San Polo 240a ; s/d 100/140 €, sans sdb 70/95 € ; Rialto Mercato ;

Au beau milieu des marchés du Rialto, cette pension une étoile occupe un ancien couvent qui aurait servi d'auberge aux chevaliers de la troisième croisade. Des fragments de fresques ornent encore les murs et les plafonds de certaines chambres. Toutes spacieuses et lumineuses, elles donnent sur les marchés et quelques-unes permettent même d'apercevoir le Grand Canal.

RESIDENZA CA' RICCIO

☎ 041 5282334 ; www.cariccio.com ; Rio Terà dei Birri 5394/a, Cannaregio ; s/d 83/99 € ; Fondamente Nuove ;

Briques, pierres, poutres apparentes et sols vernissés rouge foncé caractérisent cette résidence du XIVe siècle amoureusement restaurée. Les chambres sont d'une agréable simplicité, avec des lits en fer forgé, des draps blancs, des rideaux bleus et de charmants détails comme des fleurs fraîches.

RESIDENZA JUNGHANS

☎ 041 5210801 ; www.residenzajunghans.com ; Terzo Ramo della Palada 394, Giudecca ; s/d 40/70 € ; Palanca

Cette résidence universitaire, spartiate et impeccable, peut héberger plus de 90 personnes dans des chambres simples ou doubles. Bien située au milieu de l'île de la Giudecca, elle a remplacé d'anciens entrepôts et usines.

CATÉGORIE MOYENNE

CA' ANGELI

☎ 041 5232480 ; www.caangeli.it ; Calle del Traghetto della Madonnetta, San Polo 1434 ; s 90-140 €, d 115-195 € ; San Silvestro ;

Soigneusement entretenu, ce bel hôtel se distingue par la diversité de son offre, de la petite double avec terrasse privée sur le toit à la suite spacieuse surplombant le Grand Canal. Des meubles anciens et d'authentiques lampes de Murano décorent les lieux. Vous aurez plaisir à vous attarder dans la salle de lecture donnant sur le Grand Canal.

CA' POZZO

☎ 041 5240504 ; www.capozzovenice.com ; Sotoportego Ca' Pozzo 1279, Cannaregio ; s/d 155/210 € ; Guglie ;

Niché au fond d'une impasse, ce petit hôtel constitue un havre accueillant au design minimaliste et fonctionnel : TV à écran plat, coffres-forts, chambres décorées d'œuvres d'art contemporain, les unes avec poutres apparentes, d'autres avec sol carrelé.

CA' SAN GIORGIO

☎ 041 2759177 ; www.casangiorgio.com ; Salizada frl Fontego dei Turchi, Santa Croce 1725 ; d 165 € ; San Stae ;

Certaines parties de cette maison médiévale restaurée datent du XIVe siècle. L'hôtel comporte une demi-douzaine de chambres, superbement aménagées dans un cadre gothique. La plus séduisante est la suite mansardée du dernier étage, avec une terrasse sur le toit (*altana*) pour profiter tranquillement du soleil matinal.

CA' SAN TROVASO

☎ 041 2771146 ; www.locandasantrovaso.com ; Fondamenta delle Eremite 1350, Dorsoduro ; s/d 95/135 € ; Zattere

Avec ses sols en *terrazzo alla veneziana* et son décor vénitien, cette pension est une agréable surprise, à quelques pas seulement du canal de la Giudecca. Parmi les chambres spacieuses, décorées de tapisseries, certaines bénéficient d'une jolie vue. En été, vous pourrez profiter du soleil sur l'*altana* (toit-terrasse vénitien traditionnel).

CHARMING HOUSE DD.724

☎ 041 2770262 ; www.thecharminghouse.com ; Ramo de Mula 724, Dorsoduro ; d 260-300 € ; Accademia ;

Les propriétaires de cet hôtel n'ont conservé que la coquille de cette demeure vieille de plusieurs siècles. Ils ont aménagé à l'intérieur, dans un style ultramoderne avec des touches d'art contemporain, 7 chambres et suites. Toutes différentes, elles comprennent des équipements tels qu'un home cinéma et une connexion Wi-Fi. Les couleurs crème, beige et brun prédominent.

DOMUS ORSONI

☎ 041 2759538 ; www.domusorsoni.it ; Corte Vedei 1045, Cannaregio ; d 120-160 € ; Tre Archi ;

Cinq chambres délicieuses occupent le *piano nobile* (étage principal) de cette maison vénitienne, dans une paisible ruelle de Cannaregio. Depuis 1885, l'atelier de mosaïque Orsoni est installé dans le jardin à l'arrière (où l'on sert le petit déjeuner en été). Des mosaïques décorent les salles de bains, les têtes de lit et d'autres éléments des chambres. Toutes sont spacieuses (les plus grandes donnent sur la rue) et dotées de parquets.

FUJIYAMA B&B

☎ 041 7241042 ; www.bedandbreakfast-fujiyama.it ; Calle Lunga San Barnaba 2727/a, Dorsoduro ; s/d 120/140 € ; Ca' Rezzonico ;

Ce B&B un brin excentrique dispose de trois chambres adorables au-dessus d'un charmant salon de thé (ouvert de 14h à 20h presque tous les jours). Installez-vous dans la cour à l'arrière pour bavarder avec les propriétaires polyglottes. Le prix des chambres baisse de moitié de décembre à février.

HOTEL FLORA

☎ 041 5205844 ; www.hotelflora.it ; Calle Bergamaschi 2283a, San Marco ; s/d 190/260 € ; San Marco/Vallaresso ;

Dans le dédale des ruelles de San Marco, le Flora possède 43 chambres dotées de meubles du XIXe siècle et décorées dans le style XVIIIe. Toutes sont différentes, certaines plus belles et spacieuses que les autres. Le jardin verdoyant à l'arrière est un havre de paix.

ET POURQUOI PAS UN APPARTEMENT ?

Si vous prévoyez de passer plus d'un week-end à Venise, si vous êtes plus de 3 personnes ou si vous voyagez avec des enfants, louer un appartement vous reviendra moins cher qu'un hôtel ou une pension. Cette formule d'hébergement permet en plus de préparer ses repas... et donc d'éviter les restaurants à touristes ! Voici quelques sites d'agences proposant des appartements à la journée ou à la semaine :

> www.destinationslocappart.com
> www.casadarno.com
> www.dimoraveneziana.com
> www.destination-italie.net
> www.rentalinitaly.com
> www.veniceapartment.com
> www.apartmentinitaly.com
> www.bbplanet.it
> www.bellavista-villa-rentals.com
> www.locatissimo.com
> www.apartmentsapart.com
> www.cuendet.com
> www.interhome.fr

LOCANDA BARBARIGO

☎ 041 2413639 ; www.locandabarbarigo.com ; Fondamenta Barbarigo 2503a, San Marco ; s 60-160 €, d 75-180 € ; Santa Maria del Giglio ;

Installé dans le Palazzo Barbarigo, superbe demeure de nobles vénitiens, cet hôtel dispose de quelques chambres joliment décorées, avec des meubles peints de style vénitien du XVIIIe siècle. Certaines chambres donnent sur un petit canal. Deux d'entre elles possèdent une salle de bains avec baignoire, les autres se contentent d'une douche.

LOCANDA CIPRIANI

☎ 041 730150 ; www.locandacipriani.com ; Piazza Santa Fosca 29, Torcello ; ch 130 €/pers, demi-pension 180 € ; fermé jan ; Torcello

Séjourner dans l'une des 6 chambres spacieuses et calmes (pas de TV) de cette retraite champêtre de la lagune, autrefois fréquentée par Hemingway et d'autres stars, est bien agréable. N'hésitez pas à choisir la demi-pension, le restaurant est excellent.

PALAZZO SODERINI

☎ 041 2960823 ; www.palazzosoderini.it ; Campo Bandiera e Moro 3611, Castello ; d 150-200 € ; Arsenale ;

La façade de ce beau palais cache des chambres couleur blanc ou crème, au décor minimaliste. Un charmant jardin et de rares meubles ou couvre-lits colorés égaient cette neutralité.

CATÉGORIE SUPÉRIEURE

BAUER

☎ 041 5207022 ; www.bauerhotels.com ; Campo di San Moisè 1459, San Marco ; d à partir de 616 € ; Vallaresso/San Marco ;

L'entrée de style soviétique ne parvient pas à gâcher l'élégance de la façade néogothique en bordure de canal. Certaines chambres de ce palais jouissent d'une vue sur l'autre rive du Grand Canal. Celles du 2e étage croulent sous le marbre de Carrare et les verreries de Murano. L'hôtel réserve des chambres aux non-fumeurs. À quelques pas, le Bauer Il Palazzo loue des suites spectaculaires à des prix faramineux ! Et de l'autre côté du canal, sur l'île de la Giudecca, le Bauer Palladio Hotel & Spa occupe un cloître conçu par Palladio.

CA'PISANI HOTEL

☎ 041 2401411 ; www.capisanihotel.it ; Rio Terà Antonio Foscarini 979/a, Dorsoduro ; d 250-480 € ; Accademia ;

Portant le nom du héros de la bataille de Chioggia (1380), cette demeure multiséculaire laisse difficilement deviner l'intérieur design, décoré de meubles des années 1930 et 1940 et d'objets dessinés spécialement. Bien équipées et d'une élégance dépouillées, les chambres reflètent ce même souci du détail.

GRITTI PALACE

☎ 041 794611 ; www.starwoodhotels.com ; Campo Traghetto 2467, San Marco ; d 500-2 500 € ; Santa Maria del Giglio ;

Au bord du Grand Canal, le Gritti est l'un des hôtels les plus réputés de Venise. Il compte 90 chambres, toutes équipées de meubles anciens et décorées dans un somptueux style vénitien d'époque. Les plus belles donnent sur le Grand Canal. De grandes salles de bains en marbre et des tapis d'Orient font partie des luxueux aménagements.

HOTEL DANIELI

☎ 041 5226480 ; www.starwood.com/luxury ; Riva degli Schiavoni 4196, Castello ; d 370-880 € ; San Zaccaria ;

Cet hôtel mythique, ouvert en 1822, occupe le magnifique Palazzo Dandolo (XIVe siècle). La plupart des chambres offrent une vue sur la lagune et les églises Santa Maria della Salute et San Giorgio Maggiore. Le superbe hall – avec ses arcades, ses majestueux escaliers et balcons – est une promenade à travers des siècles de splendeur.

CARNET PRATIQUE

TRANSPORTS

ARRIVÉE ET DÉPART

AVION

La plupart des vols arrivent à l'**aéroport Marco Polo** (VCE ; ☎ 041 260 9260 ; www.veniceairport.it), situé à 12 km de Venise. Les compagnies à bas coût permettent de substantielles économies mais sont nocives pour l'environnement et la qualité de l'air. Pour voyager (un peu plus) écologique, voir l'encadré ci-dessous.

Voir l'encadré ci-contre pour la desserte de l'aéroport.

TRAIN

Rapide, abordable et écologique, le train permet aussi de profiter du paysage. Une excellente solution ! La Stazione Santa Lucia (dans Venise, les panneaux indiquent "Ferrovia") est desservie au départ de plusieurs ville françaises (Paris, Dijon, Dôle et Nice) et depuis la Suisse (Bâle, Genève, Lucerne et Zürich). Tous les *vaporetti* s'arrêtent devant la gare. Les billets sont en vente aux distributeurs automatiques dans la gare et en ligne sur www.trenitalia.it.

BUS ET VOITURE

Le bus n'est pas le mode de transport le plus rapide, mais c'est le moins cher. Consultez horaires et tarifs sur www.euroline.com. Les bus arrivent à la gare routière (carte p. 100, B4), à côté de la gare ferroviaire.

Vous pouvez aussi vous rendre à Venise avec votre véhicule personnel, mais n'oubliez pas que la circulation des voitures est interdite dans Venise et que vous devrez trouver (et payer) un parking. Il y en a plusieurs sur le Piazzale Roma et l'Isola del Tronchetto.

VOYAGES ET CHANGEMENTS CLIMATIQUES

Les changements climatiques représentent une menace sérieuse pour les écosystèmes dont dépend l'être humain, et la circulation aérienne contribue pour une large part à l'aggravation de ce problème. Lonely Planet, qui considère les voyages comme globalement bénéfiques, reste convaincu que nous avons tous un rôle à jouer pour enrayer le réchauffement de la planète.

Des sites Internet utilisent des compteurs de carbone permettant aux voyageurs de calculer et compenser le niveau des gaz à effet de serre dont ils sont responsables par des contributions financières au bénéfice de projets durables, applicables dans le domaine touristique et visant à réduire le réchauffement de la planète. Lonely Planet "compense" ainsi la totalité des voyages de son personnel et de ses auteurs. Voici deux adresses de sites : www.actioncarbone.org et www.co2solidaire.org pour en savoir plus sur les programmes de compensation.

DEPUIS/VERS L'AÉROPORT

	Bateau	Bus ATVO	Bus ACTV n° 5	Bateau-taxi
Départ	sur le quai, à 10 min à pied du terminal	devant le terminal	devant le terminal	sur le quai, à 10 min à pied du terminal
Arrivée	quais, notamment Fondamente Nuove, San Marco et Zattere	Piazzale Roma	Piazzale Roma	quai le plus proche de votre hôtel
Durée	1 heure 15	20 min	40 min	30-50 min, selon la destination
Prix	13 €	3 €	1 €	selon votre destination et le nombre de passagers ; généralement 90-120 € pour 4 pers
Divers	billets en vente au terminal ou sur le quai	départ toutes les 30-50 min ; billets en vente Piazzale Roma ou au terminal	nombreux arrêts sur le continent ; billets en vente Piazzale Roma ou au terminal	possibilité de réserver avec d'autres clients de l'hôtel : renseignez-vous à la réception
Contact	www.alilaguna.com	www.atvo.it	www.actv.it	☎ 041 5222303, 041 5221265

COMMENT CIRCULER

On peut se rendre à pied d'un point à un autre de Venise en moins d'une demi-heure. L'**Azienda Consorzio Trasporti Veneziano** (ACTV ; www.actv.it) gère les *vaporetti* desservant le centre de Venise et les îles de la lagune, notamment la Giudecca, le Lido, Murano, Burano et Torcello. Les arrêts de *vaporetto* sont signalés dans ce guide par le pictogramme .

CARTES DE TRANSPORT

Si vous projetez d'utiliser beaucoup les transports en commun, optez pour le **biglietto a tempo** (billet 24/72 heures 16/31 €), qui permet un nombre illimité de voyages dans tous les transports publics (à l'exception des lignes Alilaguna, Clodia, Fusina et LineaBlù) pendant 24 ou 72 heures. En vente aux guichets ACTV des arrêts de *vaporetto*.

La **VeniceCard** (☎ 041 2424 ; www.hellovenezia.com ; junior/senior 3 jours 50,50/59 €, 7 jours 57/58 € ; centre d'appels 8h-19h30) offre un usage illimité des *vaporetti*, l'entrée gratuite dans les musées faisant partie des Musei Civici et des réductions dans les églises, les manifestations culturelles et certaines expositions. En vente

LE MEILLEUR MOYEN POUR ALLER À...

	Stazione Santa Lucia	Rialto	Ghetto
Stazione Santa Lucia	–	*vaporetto* n°1, 15 min	à pied, 10 min
Rialto	*vaporetto* n°1, 15 min	–	à pied, 20 min
Ghetto	à pied, 10 min	à pied, 20 min	–
Gallerie dell'Accademia	*vaporetto* n°3, 15 min	à pied, 20 min	*vaporetto* n°82, 20 min
Place Saint-Marc	*vaporetto* n°3, 25 min	à pied, 15 min	*vaporetto* n°82, 30 min
Zanipolo	*vaporetto* n°41/51, 30 min	à pied, 15 min	*vaporetto* n°42/52, 20 min

au bureau de l'**Azienda di Promozione Turistica** (APT ; carte p. 42-43, G5 ; ☎ 041 5298711 ; www.turismovenezia.it ; Piazza San Marco 71f, San Marco ; 9h-15h30 lun-sam), dans le quartier de San Marco ; aux guichets HelloVenezia, de la **Stazione Santa Lucia** (carte p. 72-73, B5 ; Cannaregio ; 7h-20h30), à l'**arrêt de vaporetto Ferrovia** (carte p. 72-73, B5 ; Cannaregio), sur le **Piazzale Roma** (carte p. 100-101, B3 ; Santa Croce), ainsi qu'en ligne, avec 15% de réduction, sur www.hellovenezia.com/jsp/it/venicecard/index.jsp.

Les 15 à 29 ans (pièce d'identité exigée) peuvent se procurer dans les points HelloVenezia la **Rolling VeniceCard** (4 €), qui permet d'acheter un forfait transport de 72 heures au prix de 18 € et d'obtenir des réductions pour certains sites et manifestations culturelles.

VAPORETTO

Plusieurs lignes empruntent le Grand Canal. Certaines assurent un service plus rapide, dit *limitato* (c'est-à-dire que les bateaux ne s'arrêtent pas partout). La ligne n°1 dessert tous les arrêts entre Ferrovia et San Marco (entre 30 et 45 min).

Vous devez être muni d'un ticket et le composter, avant de monter à bord, dans les machines jaunes situées sur le quai. Le billet simple coûte 6,50 €, ce qui rend les forfaits (p. 179) très avantageux. Les horaires sont consultables en ligne sur www.actv.it, ainsi qu'aux arrêts, où l'on trouve aussi souvent des panneaux à affichage numérique indiquant l'heure des prochains passages. Certaines lignes démarrent dès 5h30, et le dernier bateau passe sur certaines à 21h. Un *vaporetto* de nuit (N) dessert le Grand Canal, le Lido et la Giudecca jusqu'à 4h30.

TRAGHETTO

À la fois pratiques et pittoresques, ces gondoles du pauvre permettent

Gallerie dell'Accademia	Place Saint-Marc	Zanipolo
vaporetto n°3, 15 min	*vaporetto* n°3, 25 min	*vaporetto* n°41/51, 30 min
à pied, 20 min	à pied, 15 min	à pied, 15 min
vaporetto n°82, 20 min	*vaporetto* n°82, 30 min	*vaporetto* n°42/52, 20 min
–	à pied, 15 min	à pied, 30 min
à pied, 15 min	–	à pied, 15 min
à pied, 30 min	à pied, 15 min	–

de passer d'une rive à l'autre du Grand Canal en des points déterminés (signalés par des panneaux dans les rues parallèles au Grand Canal). On voyage debout, pour 1 €. Certains fonctionnent de 9h à 18h environ, d'autres arrêtent leur service à midi.

GONDOLE

La gondole est plus qu'un simple moyen de transport, c'est l'occasion d'avoir un point de vue différent sur les palais et les cours intérieures. Le tarif officiel s'élève à 80 € les 40 minutes dans la journée, 100 € de 19h à 8h, sans compter les pourboires et les airs d'opéra… Au-delà des 40 premières minutes, on paie par tranche de 20 minutes (40/50 € de jour/de nuit). Vous obtiendrez peut-être une réduction les jours de temps couvert, ou bien à midi, lorsque la faim et la chaleur ont raison des autres touristes. Avant le départ, mettez-vous d'accord avec le gondolier sur le prix, la durée et la prestation musicale.

Les gondoles stationnent aux *stazi* (embarcadères) situés le long du Grand Canal et près des principaux monuments, en particulier I Frari, le pont des Soupirs et les Gallerie dell'Accademia. On peut aussi réserver par téléphone au ☎ 041 5285075.

BATEAU-TAXI

Des vedettes habillées de teck, pour se déplacer dans Venise comme James Bond… Le tarif officiel s'élève à 8,90 € (prise en charge, 6 € de supplément si l'on vient vous chercher à l'hôtel), plus 1,80 € la minute. Un supplément est exigé pour les courses de nuit, les bagages et les groupes importants – de sorte que le moindre trajet revient entre 60 et 90 €. Si toutefois vous avez des bagages lourds et encombrants, ou si vous formez un groupe de 10 à 20 personnes, le bateau-taxi reste la meilleure solution. Les taxis sont munis d'un compteur, mais vous pouvez aussi négocier un prix à l'avance. Comptez environ 60 € pour aller du Rialto à San Marco. Vous pouvez commander un bateau-taxi au ☎ 041 5222303 ou au ☎ 041 2406711.

N'écoutez pas les propriétaires de bateaux du Piazzale Roma lorsqu'ils affirment qu'il n'y a pas d'arrêt de *vaporetto* à proximité : ces arrêts se trouvent devant la gare routière.

BUS

Des bus au départ du Piazzale Roma (carte p. 100-101, B4) desservent Mestre et plusieurs destinations sur le continent. D'autres circulent sur le Lido. Les tickets, à 1 € (9 € le carnet de 10), sont en vente chez les marchands de journaux et dans les débits de tabac. Ils sont valables une heure après le compostage. Les horaires, généralement affichés aux arrêts, sont consultables en ligne sur www.actv.it.

RENSEIGNEMENTS

ARGENT

La monnaie est l'euro (€). Voir les taux de change au verso de la couverture.

L'hébergement est le principal poste de dépenses. Pour les repas, les prix démarrent à 2 ou 3 € pour quelques *cicheti* (tapas vénitiennes) – beaucoup plus au Harry's Bar – ou une part de pizza. Un verre (*ombra*) de *prosecco* coûte entre 1,50 et 3 €, un expresso au comptoir entre 0,80 et 1 €. Plutôt que d'acheter de l'eau en bouteille, faites un geste pour l'environnement et commandez juste un verre d'eau minérale au bar (de 0,20 à 0,50 €). Et si la fatigue vous saisit dans vos déambulations, le *vaporetto* vous transportera pour 6,50 €. La gondole, à 80 € les 40 minutes, constitue non pas un moyen de transport, mais une mémorable balade sur les canaux.

HANDICAPÉS

Vous trouverez un **bureau d'assistance aux handicapés** (carte p. 72-73, B5 ; Stazione Santa Lucia, Cannaregio ; 🕓 7h-21h) en face du quai n°4 à la Stazione Santa Lucia. Pour en savoir plus sur l'accessibilité de la ville, vous pouvez contacter **Informahandicap** (carte p. 42-43, G5 ; ☎ 041 2748144 ; www.comune.venezia.it/informahandicap ; San Marco ; 🕓 15h-17h mer).

HEURES D'OUVERTURE

En règle générale – les choses peuvent changer en août et en hiver –, les commerces ouvrent du lundi au samedi de 9h à 13h et de 15h30 à 19h30. La plupart des cafés sont ouverts le dimanche, certains fermant en revanche le lundi ou le mardi. Voir au verso de la couverture pour plus d'informations.

INTERNET

Quelques sites utiles :

Comune di Venezia (www.comune.venezia.it). Le site de la mairie de Venise fournit de nombreuses infos pratiques sur les musées, le Grand Canal ou encore les mariages !
Musei Civici di Venezia (www.museicivici veneziani.it). Le site des musées de la ville de Venise.
Office du tourisme de Venise (www. turismovenezia.it). Vente de billets et programme des manifestations culturelles.
Un hospite di Venezia (www.aguestin venice.com). Programme des expositions, conférences et autres manifestations.
Save Venice (www.savevenice.org).
Venezia da Vivere (www.veneziadavivere. com). Le guide de la Venise branchée. Concerts, expos, vie nocturne, créateurs, etc.
Venice Explorer (http://venicexplorer.net). Adresses (avec plan) de restaurants, magasins et sites touristiques.
Weekend a Venezia (http://fr.venezia.waf. it). Billets de dernière minute et à tarif réduit pour les principaux sites.

Quelques cybercafés :

Internet Point San Barnaba (carte p. 110-111, D3 ; ☎ 041 2770926 ; Campo San Barnaba 2759, Dorsoduro ; 3 €/ 20 min ; 9h-13h30 et 15h30-19h lun-sam).
Net Gate (carte p. 110-111, E5 ; ☎ 041 2440213 ; Crosera San Pantalon, Dorsoduro ; 8 €/h ; 9h30-19h lun-sam).
VeNice (carte p. 72-73, B5 ; ☎ 041 2758217 ; Rio Terà Lista di Spagna 149, Cannaregio ; 3 €/30 min ; 9h-23h).
World House (carte p. 60-61, B3 ; ☎ 041 5284871 ; www.world-house.org ; Calle della Chiesa 4502, Castello ; 1h/3h 8/18 € ; 10h-23h).

JOURS FÉRIÉS

1er janvier	Jour de l'An
6 janvier	Épiphanie
Mars/avril	Vendredi saint
Mars/avril	Lundi de Pâques
25 avril	Jour de la Libération
1er mai	Fête du Travail
15 août	Assomption
1er novembre	Toussaint
8 décembre	Fête de l'Immaculée Conception
25 décembre	Noël
26 décembre	Saint Stéphane

LANGUE

À l'heure de l'apéritif, osez enrichir votre italien de quelques mots de dialecte vénitien. Vous aurez sans aucun doute un petit succès dans le *bacaro* (bar).

Santé !	*Sanacapána!*
Vin ordinaire	*brunbrún*
Verre (de vin)	*ombra*
Happy hour	*giro di ombra*
Quelle chance !	*Bénpo !*
Ça m'est égal	*De rufe o de rafe*
Oh non !	*Siménteve !*
Parfait	*In bróca*
Faire comme les Vénitiens	*venexianárse*
Faire la fête sans compter	*far el samartinéto*
Attention !	*Ócio !*
Bienvenu !	*Benvegnú !*
Oui Monsieur !	*Siorsi !*
Tu parles !	*Figurárse !*
Vous [apostrophe]	*voaltrí*
Vénitien (h/f)	*venexiano/a*

OFFICES DU TOURISME

L'office du tourisme, **Azienda di Promozione Turistica** (APT ; ☎ 041 5298711 ; www.turismovenezia.it) dispose de plusieurs bureaux dans la ville.

Aéroport Marco Polo (9h30-19h30). Hall des arrivées.

Place Saint-Marc (carte p. 42-43, G5 ; Piazza San Marco 71f, San Marco ; 9h-15h30 lun-sam). Le principal office du tourisme.

Piazzale Roma (carte p. 100-101, B3 ; Santa Croce ; 9h30-13h et 13h30-16h30).

Stazione Santa Lucia (carte p. 72-73, B5 ; Cannaregio ; 8h-18h30).

POURBOIRE

Il est d'usage de laisser un pourboire de 10% dans les restaurants où le service n'est pas compris. Dans les cafés, vous pouvez laisser la petite monnaie. Dans les hôtels, prévoyez 0,50 € par valise pour le bagagiste.

RÉDUCTIONS

La **Carte Chorus** (☎ 041 2750462 ; www.chorusvenezia.org ; adulte/enfant/famille 8/6/18 €), valable un an, permet d'accéder à 16 églises (une seule entrée). Elle est en vente dans les 16 églises participant à l'opération.

Le **Museum pass** (www.museicivici veneziani.it ; adulte/enfant 18/12 €), valable six mois, est un billet combiné pour les 11 musées de la ville de Venise, les Musei Civici. Une formule réduite (adulte/enfant 12/6,50 €) permet d'accéder aux cinq musées de la place Saint-Marc et des alentours. En vente à l'office du tourisme (voir ci-contre).

Voir aussi les informations sur la VeniceCard (p. 179) et la Rolling VeniceCard (p. 180).

TÉLÉPHONE

Le réseau italien est compatible avec le réseau français et vous pourrez utiliser votre téléphone portable à Venise (attention au coût très élevé). Il y a des téléphones Telecom Italia (orange) à pièces sur les grandes places.

INDICATIFS

L'indicatif de la ville (à composer systématiquement) est le ☎ 041 ; les numéros de portable ne commencent pas par 0. Pour appeler Venise depuis l'étranger, composez le ☎ 39 (indicatif de l'Italie).

NUMÉROS UTILES

Voir au verso de la couverture la liste des numéros utiles, en particulier ceux des services d'urgences et des renseignements.

>INDEX

Reportez-vous aussi aux index Voir *(p. 188),* Shopping *(p. 189),* Se restaurer *(p. 190),* Prendre un verre *(p. 191),* Sortir *(p. 191) et* Se loger *(p. 192).*

Pages des cartes en **gras**

Pages des cartes en **gras**

VOIR

Balades en bateau

Cimetières

Églises

Monuments

Musées et galeries

SHOPPING

SE RESTAURER

SE LOGER